8,40

Prisma Pocket
2727
Peter S. Blitz en Jan Huijbers
Alle tijd

Blitz-training voor het hanteren van stress

Prisma
Het Nederlandse Pocketboek

Peter S. Blitz en Jan Huijbers

Alle tijd

- Blitz-training voor het hanteren van stress -

Prisma Pockets worden
in de handel gebracht door:
Uitgeverij Het Spectrum BV
Postbus 2073
3500 GB Utrecht

Foto's auteurs op omslag: David Blitz
Zetwerk: Elgraphic B.V., Schiedam
Druk: Koninklijke Wöhrmann, Zutphen
Eerste druk: 1989

01-2727.01 ISBN 90 274 2460 8 (boek + cassette)

CIP-GEGEVENS KONINKLIJKE BIBLIOTHEEK, DEN HAAG

Blitz, Peter S.

Alle tijd: Blitz-training voor het hanteren van stress / Peter S. Blitz en Jan Huijbers. - Utrecht: Het Spectrum. - (Prisma pocket; 2727)
Met geluidscassette.
ISBN 90-274-2460-8
SISO 604.6 UDC 616.8-008-08 NUGI 711
Trefw.: stress.

Inhoud

Twijfel

Een circadaver paars van nijd
Strijdt eindeloos zijn laatste strijd
Het heen en weer, zo sist het beest,
Is nimmer mijn probleem geweest
Het is de kern die mij splijt.

Voorwoord

Mentale training stamt uit de wereld van het presteren. Topsporters, topartiesten, topmensen uit het bedrijfsleven... Toch richten wij ons in dit boek niet uitsluitend tot hen. Een bevalling is ook een prestatie, om maar eens iets 'creatiefs' te noemen.
Tegenwoordig is stress zo inherent aan het leven dat dit boek feitelijk over 'het leven' gaat. Wij bedoelen dat in de zin van het leven ter hand nemen, er het beste van maken. Dat is pretentieus, wij zijn het ons zeer goed bewust, maar mentale training is naar haar aard pretentieus. Het is een hulpmiddel bij het waarmaken van de verbeelding. Je verbeelding optimaal durven gebruiken, misschien is dat wel een goede definitie van mentale training.
De oefeningen op het bandje zijn gewoon wat ze zijn, oefeningen op een bandje. Wij hebben ons best gedaan - en Peter Blitz heeft zijn mooiste stem opgezet - maar u bepaalt of en hoe u ze wilt gebruiken. Wij zeggen alleen dat men het effect van de oefeningen niet moet onderschatten. De prak-

tijk heeft uitgewezen dat zij in menig leven een keerpunt betekenen.

Het sprookje van de gewonnen tijd

Er was eens een flinke manager, die werkte dat het een aard had. Van de vroege morgen tot de late avond was hij in de weer. In heel Prestatië, waar de mensen toch van aanpakken weten, was niemand zo nijver als hij.
'Het is sterker dan ik,' verklaarde hij, 'het is mijn lust en mijn leven.' En voort ploegde hij door de stapel papieren die nimmer kleiner werd. Hij organiseerde projecten en hij organiseerde mensen. Hij belde, vergaderde, schreef brieven, sloot contracten en zat tot in de kleine uurtjes achter de computer. Hij presenteerde jaarverslagen, begrotingen en prognoses. Tussendoor gaf hij cursussen en lezingen, en hij bezocht belangrijke congressen. Zelfs 's zondags, wanneer hij voor de vorm met zijn vrouw en kinderen een uitspanning bezocht, kon men hem steels zien rekenen op een servetje, als hij dacht dat niemand het zag. Zo'n manager was dat, en zijn naam was Jan van Morgen.
Het laat zich raden dat zijn faam zich snel onder de bevolking verbreidde. 'Hup, uit de veren,' wekten ouders hun kinderen, 'het is

al zes uur en je hebt nog niets gepresteerd vandaag.' Dan trokken zij het dekbed af, hielden een nat washandje tegen het gezicht van hun kinderen, of deden nog ergere dingen. Men begrijpt dat de kinderen daar niet vrolijker van werden, maar er was niets aan te doen. Alle ouders waren besmet met het Van-Morgenvirus, zij deden het onbewust. En terwijl de kinderen naar school sloften voor een nieuwe dag van rekenlessen, repten hun ouders zich vol arbeidsvreugde door het drukke verkeer naar hun werk.
Nu leefde er in Prestatië een vriendelijke chirurg, die de gewoonte had 's ochtends een eitje te eten. Het moest niet te hard zijn en ook niet te zacht, maar precies er tussenin. 'Hmm, heerlijk,' placht hij zachtjes te zeggen, 'precies er tussenin.' Dan sloeg hij de krant op, begon tevreden te lezen en vergat eenvoudig alle tijd. Elke morgen kwam hij te laat op zijn werk, maar omdat hij de beste was in zijn vak, werd dit oogluikend toegestaan. Zijn vrouw had zich al lang neergelegd bij zijn vreemde gedrag, hij was nu eenmaal onverbeterlijk. 'Hij heeft het hart op de rechte plaats,' verdedigde zij haar echtgenoot, 'en daar gaat het maar om.' Zelf wist deze dat maar al te goed, want hij was hartchirurg, zodat het een wonder mocht heten dat het daar was blijven zitten. Hieruit kunnen wij leren dat

kennis niet altijd tot corruptie leidt.
Juist deze ochtend bevatte de krant een groot interview met Jan van Morgen, waarin deze de eerste beginselen van de tijdwinst-theorie uiteenzette. Tijd is geld, dus tijdwinst is winstwinst, rekende hij voor, men moest het oog op de toekomst richten en meer doen in minder tijd. Zo maakte *hij* zijn ontbijt de avond tevoren al klaar en nuttigde dat in de auto, op weg naar zijn werk. Het was maar een voorbeeld, maar als iedereen zou doen als hij, werd een tijdwinst geboekt van vele manuren. Hoeveel precies, dat wist zelfs Jan van Morgen niet, maar zoveel was zeker: dit was een zaak van nationaal belang.
Bedremmeld staarde de chirurg naar zijn uitgelepelde eitje. 'Zo had ik het nog niet bekeken,' fluisterde hij tenslotte beschaamd, 'ik doe het land te kort.' En omdat hij ondanks zijn ochtendlijke zwakte een man van geestkracht kon zijn, nam hij een kloek besluit. 'Het moet uit zijn met die eitjes, het heeft al veel te lang geduurd. Voortaan zal ik een uur te vróeg op mijn werk verschijnen.' Zo sprak hij en zo deed hij, want: een man een man, een woord een woord, dat spreekwoord bestond ook toen al. Hij rekende uit dat hij met zijn nieuwe handelwijze per dag zevendertiende patiënt meer kon behandelen, zodat de wachtlijst in

vierendertig maanden zou worden ingelopen. Bovendien behoorde een derde auto nu tot de mogelijkheden, en dat vooruitzicht beviel hem bijzonder. 'Lieve,' zou hij zeggen, 'kijk eens naar buiten.' En daar zou het voertuig staan, glanzend in het zonlicht...
De volgende morgen stond hij voor dag en dauw op en repte zich naar zijn werk. Hij parkeerde zijn auto op de vaste plaats tegenover het ziekenhuis. Niet gewend aan de drukte op het vroege uur, nog wat slaperig, wie zal het zeggen, maar toen hij op een holletje de straat overstak, werd hij geschept door een motor, vloog door de lucht, belandde met een smak op het asfalt, en rolde om en om voor hij eindelijk stil lag.
Hij mocht van geluk spreken dat hij niets had gebroken, verzekerde een collega hem aan zijn ziekbed, maar de chirurg wist zelf wel beter. De dagen in het ziekenhuis gebruikte hij om het vreemde verschijnsel te overpeinzen, dat hem tijdens het ongeluk was opgevallen. Terwijl hij door de lucht vloog, had het geleken of de tijd vertraagde, tot alles zich in slow motion afspeelde. Hij had ruim de tijd gehad om zijn gedachten een voor een af te werken. Hij herinnerde zich duidelijk hoe hij zonder haast en zonder angst zijn kansen had berekend. Hoe hij zou vallen om niets te breken, welke plekken hij zou offeren voor de onvermijdelijke

schaafwonden, in welke richting hij zou wegrollen om het aanstormende verkeer te vermijden. Ja, zelfs de vraag of hij zijn nieuwe kostuum heel zou kunnen houden had hij van alle kanten bekeken. Buitengewoon, die sensatie van tijd, hoewel omstanders toch getuigden dat alles zich in een flits had afgespeeld.
'In der Zeitlupe,' met een vergrootglas op de tijd... Met deze gedachte begon de chirurg zijn overpeinzingen. Toen hij enkele dagen later het ziekenhuis verliet, had hij zijn slotsom bereikt. Jan van Morgen heeft het helemaal mis, met het oog op de toekomst maakt men alleen maar brokken. Tijd winnen is onzin, het is alles een kwestie van aandacht. Met aandacht heeft een mens alle tijd, het oog moet eenvoudig op nu staan.
In die mening stond hij volstrekt alleen, want het interview met Jan van Morgen had inmiddels heel wat losgemaakt in Prestatië. De frisse wind van daadkracht, die toch al woei over het land, was in korte tijd aangewakkerd tot een orkaan. Alom was men onder de indruk van de tijdwinst-theorie en mensen troefden elkaar af in het bedenken van methoden waarmee tijd kon worden gewonnen. Kinderen werden om vijf uur gewekt. Bakkers bleven 's avonds open, in verband met het ontbijt. Bonden eisten ar-

beidstijdverlenging. Consultatiebureaus verstrekten groeihormonen aan zuigelingen. 'Wat was mijn leven zinloos en leeg voor ik het oog op de toekomst richtte,' prevelde de groenteman, 'ik moet al die tijd hebben geslapen.' Hij breidde zijn zaak uit met drie nieuwe schappen, maar het was hem niet genoeg. In zijn dromen zag hij een supermarkt waar drommen klanten zouden vechten en voordringen, daartoe opgestookt door het personeel. En de groenteman was niet de enige – de Van-Morgenkoorts had iedereen in zijn greep. Ja, Prestatië was razendsnel op weg een wereldmacht te worden...

Tot de dag, de onheilsdag, waarop Jan van Morgen werd geveld door een hartinfarct. De jobstijding trof het land als een mokerslag. Hoe was dit toch mogelijk, zo plotseling, zo'n fijne, integere man, in de kracht van zijn jaren, het leven was niet eerlijk. De hartchirurg was de enige die niet werd verrast door dit nieuwe spoedgeval op zijn operatietafel. Sinds zijn overpeinzingen kwam hij elke dag op tijd op zijn werk, maar de wachtlijst was alleen maar langer geworden. Zuchtend knipte hij Jans borstkas open en knikte begrijpend. Daar lag het hart, in rafels, het was een groot infarct geweest. Tikkeritis, geen gevoel voor ritme, daarvan raakt elk hart van slag. Geroutineerd woelden zijn vingers rond in het hart, tot zij von-

den wat hij zocht. Hij verwijderde het voorwerp en hield het omhoog. Het was een wekkertje; elf uur, wees het aan. En zie, juist op dat moment liep het wekkertje af. Een zucht ontsnapte aan het lichaam en Jan van Morgen gaf de geest. Ver voor twaalven, hij had zijn race met de tijd gewonnen. Diezelfde dag kwamen de kinderen van Prestatië in opstand. Zij stroomden te voorschijn uit scholen en werkplaatsen en verzamelden zich voor het ziekenhuis. Zij droegen spandoeken met leuzen als: 'Wij zijn van Gisteren', 'Weg met Van Morgen', en: 'Uitslapen Nu!'. Hun gemor en gejoel ging over in een kreet die steeds luider werd gescandeerd: 'Geef terug, geef terug, geef terug.' Wát precies, dat wisten zij niet, maar zij wisten dat zij het misten. Aangetrokken door hun hartekreet snelde de chirurg naar buiten. Op het bordes toonde hij de kinderen het wekkertje en smeet het op de grond in duigen. 'Hier hebben jullie het terug, het is de tijd,' riep hij in vervoering, 'néém hem nu ook, bij alles wat je doet. Laat geen wekkertje groeien in je hart...'
De rest van zijn woorden ging verloren in het gejuich. Ontroerd wierp de chirurg zich in de menigte. 'Ritme, ritme, ritme,' hief hij aan, de kinderen maakten er een liedje van en trokken zingend door de straten. Hier en daar hoorde men ook de roep om een eitje,

niet te hard, niet te zacht, maar precies er tussenin. En dat is het laatste wat men van de optocht heeft vernomen. Het land Prestatië is van de kaarten verdwenen, opgelost in de nevelen der tijd. Maar het sprookje is gebleven.

Deel I

Taal en tekens

1. Stress

Ooit was stress een managersziekte, eenvoudig en duidelijk. Dat zal mij niet overkomen, kon je toen nog denken, ik ben niet zo'n workaholic. Maar inmiddels is stress de samenleving op alle niveaus binnengeslopen. De werkloze kent het, de bakker op de hoek kent het, zijn personeel kent het, en ook de klanten weten van wanten. Stress is meer regel dan uitzondering tegenwoordig. Nog even en het is normaal.
Wij zijn inmiddels zo vertrouwd met het begrip, dat vertaling nauwelijks nodig lijkt. Stress, dat is toch goed Nederlands? En als het dan per se moet: spanning, druk, en vooral: belasting. Een definitie lijkt al helemaal overbodig. Toch voelen wij ons verplicht, al was het maar voor de volledigheid, tenminste een omschrijving te geven. Wij kiezen voor de meest eenvoudige en wellicht ook meest toepasselijke: 'Stress is alles wat het leven moeilijk maakt.' Om daar onmiddellijk aan toe te voegen dat stress ook alles is wat het leven de moeite waard maakt.

Waar sprake is van belasting, is uiteraard ook sprake van belastbaarheid. Dit verwijst naar eigenschappen van de persoon, naar zijn draagkracht. Een bepaalde belasting kan voor de een te zwaar zijn, en voor de ander makkelijk te verstouwen. Bovendien is de ene dag de andere niet. Wat iemand vandaag niet kan verdragen, kan hij morgen soms wel. Draagkracht verschilt van persoon tot persoon, en kan ook binnen de persoon van moment tot moment veranderen, om welke redenen dan ook.

Leven zonder stress bestaat niet, ieder mens krijgt zijn portie. Wij accepteren die belasting als onvermijdelijk, omdat wij anders niet zouden kunnen leven. Maar stress is niet alleen onvermijdelijk, stress is ook noodzakelijk. Leven zonder stress is sterven van verveling. Was het niet voor stress, wij zouden ons bed niet uitkomen. Stress motiveert ons, het zet ons aan tot handelen. Druk op de schouders beweegt ons tot het aanwenden van energie. Het maakt ons strijdbaar, en niet zelden maakt het ons sterker.

Zonder stress is het onmogelijk tot prestaties van formaat te komen. Zonder de koorts van spanning en inspanning – hoe 'koel' wij daar eventueel ook mee weten om te gaan – is het hoogste niet bereikbaar. Als wij stress doelbewust opzoeken, doen wij

dat omdat het het beste in ons bovenbrengt. De sportman ondergaat vrijwillig zeer zware lichamelijke inspanning (stress) tijdens de training, om na het herstel beter geprepareerd de strijd (stress) aan te kunnen gaan. De pianist verzet dagelijks zware, langdurige arbeid achter de piano om zijn vaardigheid en interpretatievermogen te verbeteren, of tenminste op peil te houden. En dat allemaal voor de stress van het optreden. De sportman en de pianist weten beiden wat zij willen en wat zij kunnen. Zelfkennis stelt hen in staat de belasting te accepteren en er professioneel mee om te gaan.
Stress op zich is dus niet erg. Waar het om gaat, is of de belastbaarheid al dan niet wordt overschreden. Wanneer mensen spreken over stress, bedoelen zij meestal dat de belasting die zij ondergaan, te zwaar is, of te langdurig. Zij kunnen er niet meer tegen, tegen die druk, die spanning, die herrie, vul maar in. Als dat het geval is, hoeft het nog niet meteen fout te gaan, maar het kost te veel en het is de vraag hoelang het nog goed gaat. Er ligt een fijne scheidslijn tussen maximale belasting en overbelasting, hij ligt bovendien niet elke dag op dezelfde plaats, en chronische belasting zou wel eens in alle gevallen overbelasting kunnen betekenen.

2. Stressoren

Oorzaken van stress worden stressoren genoemd. Psychologen zijn nu al decennia doende die stressoren in kaart te brengen. Een heidens karwei, en het is dan ook een lange, lange waslijst geworden van factoren binnen en buiten de persoon, die elkaar ook nog eens wederzijds kunnen versterken. Dagelijks worden nieuwe interactiepatronen ontdekt, en eerlijk gezegd is er langzamerhand geen kop of staart meer aan te ontdekken, zo verweven zijn al die factoren. Met dat in het achterhoofd willen wij toch proberen een overzicht te geven van stressoren buiten de persoon. Over persoonlijkheidskenmerken en de beleving van die stressoren zullen wij later komen te spreken.
Een indeling van stressoren die veel wordt gebruikt, is de indeling in *werkstressoren*, *relatiestressoren* en *omgevingsstressoren*.
Om met de *omgevingsstressoren* te beginnen, hierbij kunt u denken aan zaken als extreme hitte of kou, lawaai, stank en belabberde woonomstandigheden, maar ook aan informatie op radio, tv en in de krant over

bijvoorbeeld milieuvervuiling, aids, oorlog of andere zaken die u beangstigend dan wel verschrikkelijk vindt. Nu is in principe alles te veranderen. U zou kunnen emigreren naar een 'paradijselijk' eiland in de Stille Zuidzee en u zoveel mogelijk afsluiten van al die informatie. Maar opnieuw, stress is ook noodzakelijk. Zeer waarschijnlijk zou u tot de ontdekking komen dat u zich zodoende ook hebt afgesloten van dingen die u nauwelijks kunt missen. Een open oog voor de omgeving blijft toch wel gewenst, al met al.

Dan de *relatiestressoren*. Deze oorzaken van stress betreffen problemen met de partner, kinderen, familie, vrienden, kennissen en buren. Problemen met andere mensen, kortom. Meestal zijn die problemen chronisch van aard, voor zij als stressor worden ervaren. Pittige meningsverschillen en ruzies af en toe verminderen immers de stress, omdat de spanning zich zo kan ontladen in gedrag, in heftig gedrag meestal. Maar worden zaken niet uitgesproken, of ondervinden wij stille, koppige tegenstand van anderen, dan ligt stress op de loer. Gebrek aan steun, gebrek aan waardering, en gebrek aan begrip zijn op den duur vrijwel ondraaglijk. Eenzaamheid is de meest extreme vorm daarvan. Wij kunnen eenzaam zijn in een kamer vol mensen, en wij kunnen dat

zijn in ons eentje, maar in beide gevallen lijden wij gebrek. Gebrek aan herkenning en gebrek aan erkenning, misschien zijn die twee wel zulke stressoren omdat zij raken aan de fundamenten van onze identiteit.
Dat blijkt ook bij de *werkstressoren*, want gebrek aan herkenning en gebrek aan erkenning zijn ook daar de grootste boosdoeners. Het kan zijn dat men beneden zijn kunnen moet presteren en dus zijn talenten niet kwijt kan: gebrek aan erkenning. Net zo dikwijls gebeurt het dat men altijd op zijn tenen moet lopen: gebrek aan herkenning, van de persoon en zijn capaciteiten. Hetzelfde probleem doet zich voor bij verantwoordelijkheid, want ook die kan te zwaar of te licht zijn. Sommigen kunnen en willen een verantwoordelijkheid dragen waar anderen al snel onder zouden bezwijken. Ook bij werkbelasting is dat een probleem. Zeven dagen in de week werken is het ene uiterste – en voor enkelen heel gepast – maar zeven dagen in de week *niet* werken (werkloosheid) het andere. De ene mens is de andere niet, en de ene tijd is de andere niet. Werkloosheid kan ook een opluchting betekenen, al was het maar voor een tijdje.
Erkenning en herkenning van de mens, zijn capaciteiten en de levensfase waarin hij zich bevindt, daar wil de schoen nog wel eens wringen. Maar er zijn meer werkstressoren.

Rolonduidelijkheid is er zo een. Wie niet weet wat zijn taak precies inhoudt, leeft voortdurend in onzekerheid. Toekomstonzekerheid is een andere: is het werk dat ik nu doe, het werk dat ik beheers, nog wel nodig in de toekomst? En hoe staat het met mijn promotiekansen? Financiële druk: altijd net te weinig verdienen is al geen pretje, maar als ondernemer net te weinig omzetten, is een regelrechte ramp. Tijdsdruk: de deadline kan heel letterlijk een strop zijn. Gebrek aan participatie: geen zeggenschap hebben in beslissingen die bepalen wat het werk inhoudt, is zeer frustrerend. Monotonie... Spanningen tussen afdelingen... Spanningen met collega's (hoewel men die ook onder relatiestressoren zou kunnen rangschikken)...

Er zijn nogal wat werkstressoren denkbaar, en het is geen wonder dat stress oorspronkelijk een ziekte was van managers en ondernemers. Opnieuw, alles is veranderlijk. Iedereen kan in principe iets anders gaan doen. Maar je moet er wel aan toevoegen: gemakkelijk is anders.

Men kan uiteraard verfijningen aanbrengen in deze driedeling, en men kan nieuwe benamingen bedenken, zoals informatiestress, verkeersstress, sociale stress – stress van liefdesverdriet, als het moet. Alles is mogelijk, bovenstaande indeling is slechts een veel gebruikte, die de meeste stressoren goed lijkt te dekken. Wie een globaal overzicht wil, doet er verstandig aan de volgende drie punten - die dwars door alle indelingen heenlopen - niet uit het oog te verliezen.

- Ten eerste, dat ook het *gebrek* aan iets een stressor kan zijn. Niet alleen voedselgebrek, armoede of het gebrek aan een dak boven het hoofd, maar ook gebrek aan informatie, gebrek aan stimulering, gebrek aan inspiratie door anderen, gebrek aan afwisseling, gebrek aan gezelschap en gebrek aan (h)erkenning.
- Ten tweede, dat emoties een factor van buitengewoon belang zijn. Wij lopen hier enigszins vooruit op de factoren binnen de persoon, maar het is natuurlijk duidelijk dat bronnen van spanning emotionele reacties oproepen. Emoties spelen altijd een rol als er belangen op het spel staan. Nergens is dat zo goed zichtbaar als op het terrein van presteren. Als wij presteren, hebben wij altijd belang bij wat wij doen, omdat wij zoveel hebben geïnvesteerd. Wij investeren, dus hebben wij belang. Bij presteren onder druk kan dit emotionele aspect zelfs doorslaggevend zijn. In de sport, maar ook op theaterpodia of bij spreken in het openbaar, treft men die situatie regelmatig aan. Tijdsdruk, de bijzondere kwaliteitseisen die wor-

den gesteld, en de sociale factor van het bekeken en beoordeeld worden, werken allemaal samen om de betrokkene met zijn neus op de feiten te drukken. Faalangst en gebrek aan zelfvertrouwen zijn onder dergelijke omstandigheden zeer begrijpelijk, maar kunnen daarom niet minder onbarmhartig toeslaan. Emoties kunnen een factor zijn van buitengewoon belang.

– Ten derde is er altijd sprake van onderlinge samenhang, van ingewikkelde interacties – wij hebben het al aangestipt. Oorzaken die gevolgen hebben, die op hun beurt weer oorzaak zijn van andere gevolgen. Stress kan zijn als een inktvlek, die zich rondom ons verbreidt. Wie zelf gespannen is, trekt zijn omgeving daarin mee, thuis, op zijn werk, overal. Dat krijgt hij terug op zijn bord, natuurlijk, zodat een situatie ontstaat waarin niemand meer weet wat wat veroorzaakt heeft. En daarmee is de cirkel rond.

3. Strains

Strains zijn gevolgen van stress, meestal in de vorm van psychische, somatische of psychosomatische klachten. Valt u 's avonds nog wel eens voldaan in slaap, gewoon tevreden dat de dag er weer opzit? Lukt dat op tijd, zonder malen, en zonder alcohol, dope of pillen? Gefeliciteerd, dan bent u de laatste ontspannen Nederlander, waarschijnlijk. U rookt en drinkt niet of matig, u hebt geen last van slapeloosheid, u hebt geen lichamelijke klachten, en u bent tevreden met uw leven. Helaas, omdat u de enige bent, moet u wel gek zijn. Zo gaan die dingen nu eenmaal, dat weet u ook wel. Tevredenheid, ontspanning en plezier in het leven zijn echt niet meer van deze tijd. Als u goed om u heen-kijkt, zult u zien dat onvrede de norm is, spanning het levensgevoel, en geluk het taboe. Strains, en de gevolgen van strains...

Zet een muis in een gesloten kooi naast een kat in een gesloten kooi en de muis sterft al heel spoedig en heel letterlijk van angst. Het hart gaat tekeer en blijft tekeer gaan, de va-

ten vernauwen zich en de bloeddruk stijgt, het bloedsuikergehalte stijgt, de maagzuurafscheiding is te hoog met het risico van maag- en darmzweren, er vindt vergroting van de bijnieren plaats door de onophoudelijke produktie van adrenaline, en de lymfklieren en de zwezerik (een andere hormoonproducent) verschrompelen. Wanneer de alarmfase lang genoeg aanhoudt, raakt de muis tenslotte in een toestand van uitputting, die de dood tot gevolg heeft.
Mensen zijn geen muizen. Om te beginnen zijn wij groter, zodat het een stuk langer duurt voor wij aan overbelasting ten onder gaan. Maar wie zich in een situatie bevindt als de muis – bijvoorbeeld omdat hij zich sterk onderdrukt voelt door zijn baas – ondervindt wel dezelfde lichamelijke problemen. En omdat hij een mens is, ondervindt hij bovendien talloze geestelijke problemen die de muis in de kooi onbekend zijn.
Strains zijn gevolgen van stress, die het best kunnen worden geduid als signalen van naderende overbelasting. Er zijn zoveel van die signalen, dat wij aan de bespreking daarvan de volgende twee hoofdstukken zullen wijden.

4. De pijn van gemis

Spiegelend Bergmeer, de stokoude medicijnman der Apachen, was onlangs voor een kort werkbezoek in Nederland. Het gesprek dat wij na afloop van het drukbezochte congres 'Mens, maatschappij, en medicijnen' met deze coryfee van een oude traditie mochten voeren, verliep ietwat controversieel, maar wij mogen het u toch niet onthouden. De blik van een buitenstaander kan zeer verhelderend zijn.

'Zit u lekker? Wilt u een kussentje onder de zere knie? Nee? Mooi, zullen wij dan maar beginnen? Vertelt u eens, meneer Spiegelend Bergmeer, wat vindt u van Nederland?'
'Nederland is een park. Het is het enige land ter wereld waar je niets hoeft te doen om te overleven.'
'Juist. En wat hebt u zoal gezien in dat, hm, park?'
'Wat ik gezien heb,' antwoordde Spiegelend Bergmeer, 'is een volk van volslagen krankzinnigen.'

'Hmm, hm,' zeiden wij, ons beste psychologenbeentje voorslaand, 'interessant. Zou u dat wat meer kunnen toelichten?'
'Overal vertrokken gezichten,' vervolgde hij, 'overal verkrampte lichamen. Niemand van jullie loopt met enige natuurlijke gratie. Niemand heeft ook maar een greintje trots in zijn donder.'
Wij voelden onze drift opkomen, maar probeerden niets te laten merken.
'Jullie zijn allemaal met opgetrokken schouders op weg van hot naar her. Niemand kijkt op, niemand staat ooit stil, niemand groet. En dat met een motoriek, zo zelfbevangen dat het gewoon pijnlijk is om naar te kijken.'
Nu werd de drift ons plotsklaps te machtig.
'Kijk naar uzelf, zeg,' stoven wij op, 'met die maffe lendedoek. Of u zo mooi bent.'
De bejaarde geneesheer keurde ons geen reactie waardig. Wij vielen terug in de bank, terwijl Spiegelend Bergmeer onstuitbaar voortging met zijn betoog.
'En dan dat koppie zo'n beetje schuins op het lijf, en maar praten in zichzelf, en maar praten. Waar hébben jullie het eigenlijk almaar over? Ik heb er gezien, die hardop in zichzelf lopen praten. Dat soort zou bij ons meteen worden uitgehuwelijkt aan een naburige stam. Of aan een verre, nu ik erover nadenk. Anders zetten wij ze wel bij de

oude wijven. Dat jullie dat gewoon laten rondlopen.'
Wij zijn gehard in onze praktijk, dat kunt u gerust van ons aannemen, maar dit was weer helemaal nieuw.
'Wilt u ze opsluiten soms?' vroegen wij in arren moede. Hij haalde zijn schouders op.
'In eeuwige haast lopen jullie je neus achterna. Wat jullie missen, weet ik niet, maar de pijn van gemis zie ik overal. In dit land heeft de armste sloeber nog een volle vuilnisbak, maar het hele volk spookt rond of het ze aan iets ontbreekt. Als fantomen trekken jullie over de wereld. Hebben jullie zelf eigenlijk enig idee waar jullie naar op zoek zijn?'
Nu hadden wij hem. In onze haast om te antwoorden struikelden wij over elkaar en over onze woorden.
'Wij zijn een volk dat gelooft in groei. Dat zit er zo in, bij ons westerlingen.'
'Indianen waren al westerlingen voor jullie het woord hadden uitgevonden,' onderbrak hij kortaf, 'maar ga verder.'
'Nou, omdat wij geloven in groei, zijn wij altijd op weg, begrijpt u. U moet het zo zien, sommigen zijn op weg naar consumpties, van de ene consumptie naar de andere. Eten, drinken, roken, snoepen, als zij niets in hun mond of in hun handen hebben, worden zij heel nerveus. En de junks na-

tuurlijk; over consumptie gesproken! Anderen zijn op weg naar meer macht, meer status, of roem. En bijna allemaal willen wij geld, veel geld. Wij zijn op weg naar ons pakhuis vol geld, om in te duiken, om altijd genoeg te hebben, om alles te kunnen kopen. O, en zelfverwerkelijking, niet te vergeten. Dan zijn wij op weg naar onszelf, min of meer.'

Gezamenlijk trokken wij de vingers uit de oren van onze hoogbejaarde gast.

'En liefde,' brulden wij, 'sommigen van ons worden elke maand op een ander verliefd. Die zijn op zoek naar de volmaakte partner, of eigenlijk naar hun eigen identiteit. En seks.' Nu waren *wij* even niet te stuiten.

'Er zijn dagen dat wij nergens anders aan denken. En opwinding. U moest ons eens zien in een voetbalstadion! En veiligheid, maar die zult u niet ontmoet hebben; zij komen haast niet buiten. En controle. Leven met het spoorboekje in de hand, begrijpt u, de dood een stapje voor blijven.'

Spiegelend Bergmeer knikte instemmend.

'En Verlichting,' besloten wij buiten adem, 'het Ware Zelf hervinden. Eindelijk alles weten, eindelijk niet meer bang hoeven zijn. Eigenlijk willen wij allemaal het liefst God zijn.'

De wijze Indiaan knikte opnieuw. Zo ging enige tijd in stilte voorbij. Juist toen wij

hem uit zijn dommeling wilden wekken, opende Spiegelend Bergmeer zijn ogen.
'Sorry dat wij ons zo lieten gaan,' bekenden wij beschaamd, 'wij waren de beroepsethiek even vergeten. Wij hebben u toch niet verveeld?'
'Dat van Verlichting, daar kan ik nog inkomen,' sprak hij onverwacht, 'de lokroep van de Grote Manitou komt in vele gedaanten. Maar wat jullie verder uitkraamden, is alleen maar schandelijk.'
'Verlichting, zelfverwerkelijking, veiligheid, opwinding, liefde, seks, geld, roem, macht, status, consumptie,' vatten wij bekwaam samen, 'dat is waarheen wij op weg zijn. Daar komt het zo'n beetje op neer.'
Maar Spiegelend Bergmeer wachtte het eind van onze samenvatting niet af. Hij stond op, en sprak ten afscheid: 'Luister goed, want ik zeg dit maar één keer: zoek niet, vind. Zie de vuile oude man in mijn ogen, zo dicht bij de dood. Toch deint hij tevreden in zijn hangmat van zenuwen en ziet voor twee.'
'Zou u dat nog eens willen zeggen?'
'Het ontbreekt jullie aan niets, helemaal niets. Elk van jullie heeft alles wat hij nodig heeft. En toch leven jullie met de pijn van gemis. Jullie zijn allemaal op weg, maar jullie komen nooit aan. Hoe zou het ook, zolang je op weg bent, bén je er niet. Jullie

zijn erger dan kaaskoppen, jullie zijn kunstkoppen. Heel Nederland verdient het spanlaken.'
Dat moet hij hebben opgevangen op het congres. Wat weet een oude Indiaan van spanlakens? Ditmaal hadden wij onze drift professioneel in toom, gelukkig, want hij liet ons zonder groeten achter in een wolk van misprijzen.

Wij hadden het beter kunnen doen, wij zijn de eersten om het toe te geven. Wij hadden de vaderlandse driekleur met meer vuur kunnen verdedigen. Aan collegae betuigen wij onze oprechte spijt over het verlies van de emotionele controle. Maar ja, wij dachten, respect voor zo'n oude Indiaan is wel het minste, en voor we het wisten, was het gebeurd. Wij hopen dat de lezer ons wil vergeven. Wij zullen nu weer heel serieus verder gaan.

5. Signalen

Er zijn twee sectoren vanwaaruit u signalen kunt opvangen die erop wijzen dat u overspannen bent, of overspannen dreigt te geraken: vanuit uw omgeving en vanuit uzelf. De signalen die vanuit uzelf komen, kunnen worden onderscheiden in lichamelijke en geestelijke (of mentale) signalen, hoewel die twee meestal op een of andere wijze ('psychosomatisch') verweven zijn.
Uiteraard is het van groot belang te constateren dat u uw grenzen nadert, maar wij willen er toch op wijzen dat het niet per se verkeerd hoeft te zijn om grenzen te naderen. Het kan zelfs geen kwaad te trachten die grenzen te verleggen of te overschrijden. Zolang u maar weet wat u doet!

De vraag of u in staat bent signalen uit uw *omgeving* op te vangen, is uiteraard sterk afhankelijk van uw relatie met die omgeving. Voor wie in de stad leeft, staat 'signalen uit uw omgeving' gelijk met 'signalen van andere mensen'. De signalen die u van hen krijgt, zou u wel eens verkeerd kunnen

interpreteren. Wie stress heeft, leeft meestal al zo in onmin met zijn omgeving dat hij elke rake opmerking en elk welgemeend advies briesend naast zich neerlegt. Die onmin zou men natuurlijk moeten constateren als een signaal, maar omdat wij onze trots hebben, en omdat wij geneigd zijn de schuld van onze spanningen af te schuiven op de omgeving, is dat niet zeer voor de hand liggend. Moeilijke zaak dus.
Mensen in uw omgeving zijn altijd bereid het een of ander onder uw aandacht te brengen. Of dat ook welgemeend gebeurt, is een tweede, maar dat doet aan de bruikbaarheid van de opmerking dikwijls weinig af. Het vereist echter heel wat onthechting om elke opmerking objectief op zijn waarde te beoordelen. Het vereist ook zelfkennis, en het vermogen zichzelf niet al te serieus te nemen. Toegeven dat wij fout zitten, betekent echter maar al te vaak: toegeven dat wij al geruime tijd fout hebben gezeten. Dat maakt het bijzonder pijnlijk. Wij voelen ons een beetje voor gek staan.
Hoeveel goeds u van uw omgeving kunt verwachten, wij weten het niet. Dat hangt af van de nabijheid van de relaties in emotionele zin, van de intensiteit en de frequentie, van nog wel een paar zaken, en, last but not least, het hangt af van uw eigen persoonlijkheid. 'Neem uw omgeving serieus' is het pa-

rool waar wij het op houden.

Het aantal *lichamelijke* klachten dat men kan opvatten - wij zeggen met nadruk *kan* - als een indicatie van stress, is buitengewoon groot. In principe kan elke vorm van onwel zijn een signaal zijn, een teken in de taal van het gestresste lichaam. Niet voor niets spreken wij bij een hartinfarct van een 'waarschuwing'. Het lichaam spreekt en het zegt dat de grenzen zijn bereikt. Maar ook een gebroken teen, ten gevolge van een val van de trap, kan een teken aan de wand zijn. Opnieuw, moeilijke zaak.
Tegenwoordig noemt men bijna alles 'psychosomatisch'. Vooruit dan maar. Ziek zijn is inderdaad niet alleen een medische, biologische, chemische, kortom lichamelijke kwestie, en beter worden is dat al evenmin. Ook artsen accepteren het begrip psychosomatisch tegenwoordig, met name huisartsen, huidartsen en psychiaters. De belangstelling van artsen voor stress komt vooral tot uiting in hun belangstelling voor de relatie tussen stress en het immuunsysteem. De snelle afbraak van het verweer tegen verkoudheden, griepjes en andere virale infecties, huidaandoeningen en wat dies meer zij, is inderdaad een opmerkelijk fenomeen. Wie stress heeft, gaat vrijwel altijd kwakkelend door het leven. De een wat erger dan de ander, maar

ziek of ziekjes is men in elk geval veel te vaak. Hartinfarct, te hoge bloeddruk, hartritmestoornissen, maag- en darmklachten, problemen met de ontlasting, astma, hyperventilatie, lage rugpijnen (waarom de hoge eigenlijk niet?), hoofdpijn, migraine, allergieën, huidziekten, menstruatieproblemen... moeten wij ook nog vermelden dat men van stress te vroeg rimpels krijgt? Nee hoor, wij maken het onszelf gemakkelijk, wij weten dat u op dit punt weinig woorden nodig hebt. En u onthoudt natuurlijk dat de klachten ook andere oorzaken kunnen hebben. Toch ook maar even naar de dokter dus?

Als wij zelf precies wisten wat wij met 'de pijn van gemis' bedoelen, zou hij bovenaan ons lijstje van *mentale* signalen prijken. Weinig dingen zijn zozeer een signaal van stress als het gevoel dat het ons aan iets ontbreekt. Nu eens fluisterend, dan weer luidkeels, maar altijd zeurend en dwingend vraagt het om aandacht. Hulpeloos vragen wij ons af, waaraan het ons toch ontbreekt. Waarom wil het niet lukken? Wij wachten op het ontbrekende ene, dat ons leven zou maken tot wat wij stil vermoeden dat het zou kunnen zijn. Wij wachten. Wij weten niet wat eraan schort.
Wie leeft met deze pijn, verlangt naar aanvulling van het ontbrekende. Hij verlangt

naar heelwording. Hoewel hij niet weet wat hij mist, weet hij wel dat hij iets mist. Het zou de tijd kunnen zijn, zoals bij de kinderen uit het sprookje. Het zou kunnen, hij weet het niet. Die onwetendheid maakt het verlangen naar heelwording (etym. heel-heil-heilig) per definitie religieus. Tastend in het duister, naar een verloren paradijs, met een verlangen dat reikt tot de sterren.

Maar dikwijls weten wij heel precies wat we missen. *Wíe* we missen, is het dan. Sommigen ervaren die pijn van het gemis maar een beetje. Sommige mensen huilen ook altijd maar een beetje. Voor anderen is de pijn bijna ondraaglijk. Zij voelen zich geamputeerd en beroofd. In hun innerlijk ontwaren zij een zwart gat van gemis, dat zich nooit lijkt te zullen dichten.
Verdriet gaat wel over, zegt men. De tijd heelt alle wonden. Wij geloven er geen barst van. Er is beslist verdriet dat nooit overgaat. Wie zijn kind heeft verloren, zal het met ons eens zijn. En wie een mongooltje heeft gekregen eveneens. Men zou erover kunnen twisten of verdriet kan worden opgevat als een signaal van stress. Zeker is in elk geval dat er sprake is van preoccupatie. Men moet alle zeilen bijzetten om het hoofd boven water te houden. Voor meer is geen energie, men is belast tot het uiterste. In die

zin is verdriet ons inziens zeer zeker een signaal van stress.
Maar er valt mee te leven, ten langen leste. Wij zullen wel moeten, nietwaar? Ooit zullen wij verder moeten. Ooit zullen wij de stap moeten zetten om 'vrolijk' verder te leven. Accepteren, en vervolgens aan het werk om het haalbare te verwezenlijken. Maar vooral accepteren...
Wie niet bereid is af en toe zijn nek uit te steken, of anders gezegd, wie niet bereid is tot enig avontuur in zijn leven, is eveneens gedoemd tot de pijn van gemis. De pijn van gemiste kansen, de pijn van gemiste mogelijkheden. Niets erger dan een leven van 'had ik maar'. De Duitse taal drukt dit fraai uit in: 'Das verfehlte Leben' (*fehlen* = falen, maar ook missen). Opnieuw, er valt moeilijk de vinger op te leggen, maar in zijn hart weet iedereen in hoeverre die uitdrukking van toepassing is. Wij zeggen het nog maar eens: alles kan veranderen. Van het ene moment op het andere kan iemand een nieuwe koers inslaan. Maar wij voegen er opnieuw aan toe: gemakkelijk is anders.

Meer, beter, harder, sneller, hoger: op zich zijn dit reeds mentale signalen. Pijn van gemis is leven met het gevoel van niet genoeg. Was Spiegelend Bergmeer nog in Nederland, hij kon het ons uitleggen. Wij kunnen het niet, maar misschien kunt u iets destilleren uit onze armzalige pogingen. Als wij wisten wat pijn van gemis precies betekende, zou hij zeker bovenaan ons lijstje prijken. Zoals het nu is, zullen wij verder moeten met het gebruikelijke rijtje.

- Het verdwijnen van seksuele lust. Meestal kijkt men wel om zich heen naar het onmogelijke. Ook zelfbevrediging (dikwijls met sterke fantasieën) blijft bestaan. Maar aan het mogelijke komt men maar moeilijk toe.
- Slaapproblemen. Geen rust hebben, niet kunnen ontspannen.
- Malen. Sterk verwant met het vorige signaal. U moet gaan oppassen als uw zelfspraak ook overdag in kringetjes blijft rondgaan.
- Ongewone fouten maken op het werk. Foute beslissingen nemen. Vooral als zij in serie voorkomen zijn zij een duidelijk signaal van dreigende overbelasting.
- Neurotische lustbevrediging. De onbedwingbare neiging tot (veel) eten, roken, drinken en snoepen.
- Neiging tot verslaving. Precies hetzelfde als het vorige signaal, alleen een stapje verder.
- Snelle irritatie. Ergernis om tegenslag, om tegenspraak en om ongemak. Wat gedaan moet worden, geprikkeld doen.

– Problemen met de tijdsbeleving. Nooit rust, niet meer kunnen genieten, altijd haast, bang zijn om tijd te 'verliezen', alles tegelijk willen doen, niet kunnen wachten. Ook het tegendeel komt veel voor: alles voor zich uitschuiven, zich tot niets meer in staat voelen: de neiging tot uitstel van wat gedaan moet worden. Dit wordt 'procrastinatie' genoemd: naar morgen verschuiven (cras = morgen).
– Sociale weerzin. Er tegenop zien om onder de mensen te komen. Neiging tot afsluiting, meestal gevolgd door hechting aan eenzaamheid, waarna de cirkel opnieuw rond blijkt te zijn.
– Zelfverwaarlozing. Slecht voor zichzelf zorgen in relatie tot voeding, kleding, bewoning en hygiëne.
– Huilbuien. Dikwijls het gevoel hebben dat je wel kunt janken.

Tot slot. Psychosomatisch zou met hetzelfde recht somatopsychisch genoemd kunnen worden. Het is heel goed mogelijk, nee, het gebeurt elke dag, dat problemen met de gezondheid mentale problemen met zich meebrengen. Voor topsporters, artiesten en mensen uit het bedrijfsleven is tegenwoordig het eerste voorschrift: heel blijven. En dat is niet alleen om te kunnen blijven presteren. Dat is ook omdat het zo akelig is om geblesseerd te zijn. Je kunt niet meer doen waar je goed in bent. Body and soul, onafscheidelijk tot de dood. En precies hetzelfde geldt voor de rest van de mensheid.

6. Interacties

Interactie is een lastig begrip en de effecten van interacties zijn bijzonder moeilijk te overzien. Uit onderzoek is al vele malen gebleken dat interacties tussen drie of meer factoren voor het menselijk brein nauwelijks meer te bevatten zijn. De computer gaat zijn gang maar, wij kijken eerbiedig toe.

Een goed voorbeeld is de weersvoorspelling, vooral die op lange termijn. Op het eerste gezicht is hier een beperkt aantal factoren bij betrokken, dat men zelfs als leek wel kan bedenken. Diverse luchtstromingen, drukverschillen, de draaiing van de aarde, de stand van de zon, de structuur van het aardoppervlak, de temperatuur, de vochtigheid. Voor de vakman ligt het allicht genuanceerder, maar op het eerste gezicht is alles helder. Tot wij die factoren willen combineren om er voorspellingen mee te doen. Dan blijkt de ingewikkeldheid plotseling duizelingwekkend te zijn.

Vroeger keek de meteoroloog als een boer naar de lucht, waar zwaluwen hem iets ver-

telden over muggezwermen die hij niet kon zien, waar hij een atmosfeer waarnam waarin hij kon ademen, voelen en ruiken, maar die hij niet of nauwelijks kon meten. Hij stelde vast waar de wind vandaan kwam en hij luisterde naar kikkers in de sloot.
De huidige meteoroloog werkt met zeer krachtige computers waarin alle betrokken factoren zijn ingevoerd. Om vervolgens tot een weersvoorspelling te komen, moet de computer aan het rekenen slaan met buitengewoon ingewikkelde wiskundige formules. Wiskundige hoogstandjes, die de wiskundige zelf nog maar nauwelijks begrijpt, maar alla, als de computer er maar mee kan werken.
Mensen zijn ingewikkelder dan het weer, vrezen wij. De interacties die plaatsvinden in een 'geordende' samenleving gaan het voorstellingsvermogen verre te boven. Wat daarvan is stress, stressor of strain? En voor wie? Kunnen wij in dat onafzienbare, driedimensionale web van interacties nog vaststellen wat het web aan het trillen brengt? En toch gaat het bij problemen rond stress, net als bij het weer, om ons vermogen tot voorspelling. Als ik zus of zo doe, als ik bepaalde factoren verander, zal het dan beter gaan?
De huidige weersvoorspelling is stellig beter dan die van vijftig jaar geleden. Die pro-

gressie zal ook wel doorzetten, maar het blijft voorspellen binnen grenzen van waarschijnlijkheid, zoals wij vrijwel dagelijks kunnen constateren. De meteoroloog begrijpt tot op zekere hoogte nog wel waarmee hij bezig is. Hij begrijpt dat het wiskunde is waarmee hij de veronderstelde interacties te lijf gaat. En hij zal de computer blijven gebruiken, omdat hij weet dat zijn eigen brein het niet meer kan bevatten. Maar wat moet iemand met stressproblemen? Moet hij wiskunde gaan studeren? Is stressmanagement eigenlijk wel mogelijk? Ziet de toekomst er niet altijd anders uit dan wij denken?

De vraag stellen, is vragen naar het alternatief: kan het anders? Het antwoord op die vraag luidt uiteraard dat wij blijkbaar niet anders kunnen. Zo zijn wij gebouwd. Wij zijn gericht op de toekomst, en hoewel wij die toekomst niet kennen, zullen wij er altijd plannen voor blijven maken. Wij zijn niet in staat onze levenservaring, dat het telkens weer anders uitpakt dan wij dachten, te integreren in ons gedrag. Daarom gaan wij naar school, daarom solliciteren wij, en daarom trouwen wij. Hoe hoog de echtscheidingspercentages ook liggen, wij trouwen, want ons zal het niet gebeuren. In het 'hier en nu' verbeelden wij ons een toekomst, wel wetend dat het om waarschijnlijkheden gaat. Geen weersvoorspelling, maar een weersverwachting. Zo functioneren wij pragmatisch in het middelpunt van alle interacties, dat is, in het hier en nu. Stressmanagement kan dus niet anders zijn dan zelfmanagement in het hier en nu. De vinger aan de pols. Tekens duiden en signalen verstaan. 'Weten' zullen wij het nooit, maar wij kunnen leven met waarschijnlijkheden en verwachtingen. Wij kunnen onze maatregelen treffen op basis van die verwachtingen, zo doen wij het immers altijd. Het is vergelijkbaar met de relatie tussen de boer en het weer. Hij heeft een paar minuten buiten staan kijken, voelen, luisteren en ruiken, dan besluit hij de koeien voor de nacht binnen te halen. Hij heeft de eerste regenspatjes al gevoeld. Hij ziet hoe de wolken zich samenpakken. In de verte hoort hij het gerommel van naderend onweer. De zwaluwen zijn verdwenen. De taal en de tekenen zijn zo duidelijk dat Beethoven ze kon transponeren tot de Pastorale. De boer gaat aan de slag, en twijfelt geen moment aan de zin daarvan.

Deel II

De interpretatie

7. Persoonlijkheid

De ene mens is 'stressbestendiger' dan de andere. Zijn draagkracht is groter, hij kan meer hebben. Komt dat omdat hij 'nu eenmaal zo in elkaar zit'? Met andere woorden, komt dat omdat zijn persoonlijkheid beter bestand is tegen spanningen? Of heeft hij beter geleerd met die spanningen om te gaan? In dat geval, kan iedereen dat leren? In dit tweede deel willen wij een poging wagen u van het laatste te overtuigen. Maar dat is niet het enige doel van de nogal uitvoerige behandeling van onderwerpen als persoonlijkheid, aanleg en identiteit. Wij willen ook bereiken dat u gewapend met deze kennis tot inventarisatie en een nieuwe zelfevaluatie komt. Stilstaan, de stand van zaken opnemen, en tot actie overgaan. De maat nemen en de maat regelen. Want u bent de interpretator van de taal en de tekens. De interactie van stress, stressoren en strains is er vooral een met u. Er is veel zelfkennis nodig om de taal te verstaan en de tekens juist te lezen.

Het woord ‘persoon’ komt van het Latijnse ‘per sonare’, dat ‘klinken door’ betekent. Het verwijst naar de traditionele manier van toneelspelen bij de oude Grieken, waar de acteurs maskers droegen door welke hun stem klonk. Toneel spelen, een masker dragen, het geeft te denken. Is dat nu persoonlijkheid?

Een mens dient vele rollen te spelen in zijn leven. Zelfs op één dag zetten wij dikwijls al heel wat verschillende petten op. Zit achter al die petten een acteur, een persoon? Of kunnen wij laag na laag afpellen van de ui, om tot de ontdekking te komen dat de kern leeg is?

Mensen hebben altijd een mateloze belangstelling gehad voor het begrip persoonlijkheid. Men bedoelt er meestal mee: een min of meer vast conglomeraat van eigenschappen, dat kenmerkend is voor de persoon. Maar het begrip wordt ook in een andere zin gebruikt. ‘Die man heeft persoonlijkheid!’ Dat verwijst naar zijn uitstraling, charisma, opvallendheid en overwicht op anderen. Naar lef ook, het lef om zichzelf te zijn. Of moeten wij zeggen, in het licht van bovenstaande, zijn lef om zichzelf te acteren? Het lef om zich voor honderd procent aan te stellen?

Wij zullen het begrip persoonlijkheid in deze tweede betekenis hier laten rusten. In

de eerste betekenis is het begrip persoonlijkheid gelijk aan een ander begrip: karakter. Ook karakter verwijst naar een vast conglomeraat van eigenschappen dat kenmerkend is voor de persoon. Maar karakter betekent ook nog iets anders. Een man van karakter heeft wilskracht en doorzettingsvermogen, en hij houdt vast aan zijn principes. Zoals 'de karaktervoetballer'. De karaktervoetballer is een koosnaam voor de speler die met tomeloze inzet op het scherpst van de snede opereert. Hij versaagt nimmer, deze 'Willem met het loopvermogen'. Deze kerel van stavast compenseert zijn schrijnend gebrek aan techniek en tactisch inzicht met wilskracht en doorzettingsvermogen.
Nu is een begrip als wilskracht voor de meeste psychologen al zuivere magie. Dat wil zeggen, het woord verwijst volgens hen nergens naar, of het verwijst naar talloze zaken tegelijk. Want wat is dat dan, wilskracht? Kan ik dat meten? Waar dan? Achter je hurken, zeker. Dat maakt al iets duidelijk van het probleem dat psychologen hebben met het begrip persoonlijkheid. Ten eerste geloven zij niet dat er zoiets is als een 'vast' conglomeraat van eigenschappen. Iedereen kan veranderen, sterker nog, dat doen wij elke dag. Was dat niet zo, dan konden alle psychotherapieën op de schroothoop worden geworpen. Dat zou u

misschien een goed idee vinden, maar wij niet, want mentale training zou er onmiddellijk achteraan vliegen.
Bovendien hebben veel psychologen moeite met het begrip 'eigenschap', omdat menselijke reacties altijd in relatie met de omgeving worden vertoond. Wanneer iemand een vast reactiepatroon vertoont op een vaste prikkel, betekent dat dan dat hij een 'eigenschap' heeft, of is het eenvoudig zo dat die reactie altijd is beloond en dáárom wordt vertoond? Met andere woorden, de meeste psychologen (en wij) geloven wel in prikkels en gedrag, of in acties en reacties, maar om daar nu zoiets als een eigenschap of een persoonlijkheid voor te poneren vinden zij zinledig en overbodig. 'Eigenschappen' hebben mensen alleen, zolang zij niet van omgeving veranderen.
'Marietje is zo koppig; veel koppiger dan haar broertje op die leeftijd.' Is dat dan geen eigenschap? Nou, net zoveel als wilskracht dat is, antwoordt de psycholoog. We zullen eens zien hoe koppig Marietje nog is als zij dertig is, of zeventig. En is zij het tegen die tijd nog steeds, dan is dat alleen omdat haar koppigheid een succesvolle strategie is gebleken. Niet omdat het een eigenschap is, zoals de vorm van haar neus een eigenschap is (hoewel, zelfs die verandert in de loop der jaren).

‘Kees is een ijskouwe.’ Hoezo, ijskouwe? Bedoelt u dat Kees geen emoties heeft? Of bedoelt u dat hij die zelden toont? Laat Kees alles van zijn kouwe kleren afglijden, of vreet hij zich inwendig op? IJskouwe, dat woord zegt ons niets, het kan van alles betekenen. Misschien moest u Kees eens bezig zien bij zijn maîtresse. ‘Marie is een trut’ dan. Ja, als u nou ook nog begint te schelden op zijn maîtresse...
Als laatste voorbeeld nemen wij intelligentie. ‘Kees is een ijskouwe, maar hij is wel intelligent.’ Gelukkig, er deugt toch nog iets van Kees. Iedereen beschikt over intelligentie, zeggen vele psychologen zelfs, want intelligentie kan worden gemeten (in tegenstelling tot wilskracht, ijskouwe of trut). Daar bestaan tests voor. De een scoort 80 op zo’n testbatterij, de ander 150, en het gemiddelde is 100. Zo’n testbatterij omvat vele onderverdelingen van het begrip intelligentie. Zo worden verbale vaardigheid, sociale vaardigheid, vaardigheid in omgang met symbolen, vaardigheid in het oplossen van problemen van verschillende aard, rekenvaardigheid en nog enkele andere vaardigheden gemeten. Elk jaar komen er nieuwe vaardigheden bij trouwens en de ene testbatterij is de andere niet. Wat meten wij nu, ‘intelligentie’ of een groot aantal onderscheiden vaardigheden? Weer hetzelfde pro-

bleem: is intelligentie een magisch begrip, dat wil zeggen, verwijst het als begrip nergens naar, of naar een groot aantal zaken, of 'bestaat' intelligentie ook buiten de taal? En als dat zo is, hoe verklaren wij dan het feit dat intelligentie aan schommelingen onderhevig is? Wij hoeven maar te diep in het glaasje te kijken en wij krijgen de eerste pagina van *De Telegraaf* al niet meer uit, al zouden wij Einstein zijn. Kan intelligentie een eigenschap worden genoemd als het zo aan verandering onderhevig is?

Het grote aantal aanhalingstekens dat wij in dit stuk hebben gezet, maakt al duidelijk hoe moeilijk het is om met begrippen als persoonlijkheid, karakter en eigenschappen te werken. In eerste instantie lijken zij te verwijzen naar zaken die eenieder begrijpt, maar bij enig doordenken blijft er maar weinig van heel. Wanneer wij zeggen: 'Marietje is ongelukkig, daarom gedraagt zij zich zo dwars,' dan is dat al een stuk duidelijker dan: 'Marietje is koppig.' Het geeft bovendien aan dat er verandering mogelijk is. Marietje zou wel eens heel meegaand kunnen blijken als zij ooit gelukkig werd. Was koppigheid dan een eigenschap die nu is verdwenen? Of zijn al onze zogenaamde eigenschappen slechts manieren van omgaan met de werkelijkheid? En 'gelukkig

zijn', is dat nu een eigenschap van Marietje geworden, of is het nog steeds zo dat mensen alles maar eventjes zijn?
Om al deze redenen prefereren wij het begrip vaardigheid boven het begrip eigenschap, dat wij reserveren voor lichamelijke kenmerken van de persoon (hoewel biologen daar dezelfde bezwaren tegen zouden kunnen aanvoeren). Voor: 'Piet is een driftig type' vullen wij dus in: 'Piet heeft een geringe vaardigheid in zijn omgang met tegenwerking'. Zijn eventueel aangeboren hoge bloeddruk noemen wij dan een eigenschap. Andere voorbeelden van het omzetten van 'karaktereigenschappen' in vaardigheden mag u zelf verzinnen. Wij raden u aan bij uzelf te beginnen, dan weet u meteen wat uw sterke en zwakke punten zijn, en aan welke vaardigheden u nog wel iets zou kunnen bijschaven.
Vaardigheden kunnen worden vastgesteld en gemeten, zij kunnen worden geleerd, en bovenal, het leren van een vaardigheid staat open voor iedereen. Gelukkig maar, want als stressbestendigheid een persoonlijkheidseigenschap was, zouden velen zijn gedoemd tot het lijdzaam ondergaan van stress, zonder enig verweer.
Persoonlijkheid betekent in deze optiek: de relatieve aanwezigheid of afwezigheid van vaardigheden die door tijdgenoten van be-

lang worden geacht ter duiding van de persoon. Die duiding is een vorm van inschalen, welke door haar tijd- en cultuurgebondenheid sterk onderhevig is aan waarden. Wat ons opvalt als 'eigenschap' van een persoon, wordt in andere tijden en in andere culturen niet eens gezien. Persoonlijkheid, dat is de blik van de ander.

8. Het nature-nurture-debat

Het nature-nurture-debat is zo oud als de mensheid zelf. Neanderthalers moeten het al hebben gevoerd.
'Zeg schat?'
'Hmmm.'
'Slaap je al?'
'Nou niet meer, nee.'
'Wat denk je, zou die jongen dat van mij hebben of van jou?'
'Welnee, man, dat heeft-ie van zijn slechte vriendjes.'
'Dus jij denkt echt dat het niet van mij komt?'
'Wat maakt dat nou uit van wie hij het heeft? Ga toch slapen, lekkere barbaar van me, jij zult je krachten morgen nog hard genoeg nodig hebben om een valkuil te graven voor die dino.'

Zo ongeveer. De vraag is dus: 'Is de mens een produkt van aangeboren, erfelijke eigenschappen (*nature*), of is de mens een produkt van opvoeding en levensomstandigheden (*nurture*, "koesterende verzorging")?'

De psychologie is als wetenschap ongeveer een eeuw oud, en in die eeuw heeft dit debat zijn sporen nagelaten. Het klinkt ongeloof-lijk dat een vraag waarop het antwoord zo duidelijk 'en-en' moet luiden en niet 'of-of' (het is dus een schijnprobleem) de gemoederen zo heeft kunnen bezighouden. Wij zullen u de geschiedenis en het verloop van dit debat besparen, u kent ons standpunt ten aanzien van eigenschappen inmiddels, en ons standpunt ten aanzien van aanleg zullen wij u nog geven in het hoofdstuk over identiteit.

William Stern heeft met het volle gewicht van zijn niet geringe autoriteit als ontwikkelingspsycholoog gepoogd voorgoed een einde te maken aan het debat. Hij maakte een aardige vergelijking. Hij zei: persoonlijkheid is als oppervlakte. Oppervlakte is het produkt van lengte en breedte, en zo is persoonlijkheid het produkt van nature en nurture. Nature, de mogelijkheden, nurture, de kanalisering van die mogelijkheden tot realiteiten. Mensen worden geboren met een zeer brede aanleg, die in een bepaalde omgeving op een bepaalde manier tot uiting komt. Nature en nurture, beide maken de mens.

De discussie woedt hier en daar nog steeds, maar de vraagstelling is verschoven. Het gaat nu om het accent op nature dan wel nurture. Benadrukt men het eerste, dan stemt dat tot pessimisme en passiviteit. De kaarten zijn al geschud. Benadrukt men het tweede, dan is er nog hoop voor de mensheid. Bovendien wijst het ons op onze verantwoordelijkheid als opvoeders, en geeft het zin aan leren, oefenen, trainen, aan vorming en therapie, en zelfs aan goede voornemens...

9. Identiteit

Identiteit komt tot stand in een wisselwerking tussen mens en omgeving. Aan de ene kant staat het individu met zijn aanleg en zijn vraag om vormgeving van die aanleg, aan de andere kant staat de samenleving met zijn cultuur, zijn rollen en beroepen, zijn organisatievormen en zijn sociale eisen. Dit wordingsproces is langduriger naarmate de samenleving ingewikkelder is. Hoe meer kennis verworven moet worden, hoe langer wij erover doen om 'onszelf te worden'. Hoe meer beroepen en rollen de samenleving in de aanbieding heeft, hoe moeilijker de keuze. In het huidig tijdsgewricht, waarin de toekomst niet meer automatisch een extrapolatie is van het zichtbare heden, krijgt dit probleem een extra dimensie. Het is zeer goed mogelijk dat in de toekomst nieuwe rollen en nieuwe beroepen zullen ontstaan, waar wij nu nog geen weet van hebben. Die onzekerheid geeft vooral aan jonge mensen met een brede aanleg keuzeproblemen, zodat de kindertijd wordt opgerekt.

Onze keuzen uit het aanbod van de samenleving worden bepaald door onze aanleg en door onze waarden. Het waardensysteem dat wij gaandeweg ontwikkelen, blijft altijd ten grondslag liggen aan onze identiteit. Hebben wij eerlijkheid hoog in het vaandel, dan zullen wij niet snel crimineel worden. Is het trouw, dan zal ook dat blijken.
Van oudsher is het christendom de hofleverancier van deze waarden geweest. Daarin is de centrale waarde die van 'de Ander', zodat in elke identiteit de daarvan afgeleide waarden als naastenliefde, wegcijferen van zichzelf, zorg voor de zwakken en zin voor collectiviteit waren (zijn) opgenomen. In laatste instantie heeft dit waardensysteem geleid tot wat wij 'de verzorgingsstaat' zijn gaan noemen.
Na de leegloop uit de kerken in de jaren zestig van deze eeuw - een fenomeen, waarvan het belang moeilijk kan worden overschat - is de slinger in een felle tegenreactie uitgeslagen naar de andere pool, het Zelf. Wij definiëren onszelf tegenwoordig aan de hand van de waarden die daarvan zijn afgeleid: zelfliefde, zelfexpressie, recht van de sterken, en individualiteit. En onze samenleving evolueert van de verzorgingsstaat naar de prestatiemaatschappij. Werd vroeger wat boven het maaiveld uitstak, snel een kopje kleiner gemaakt ten gunste van de

collectiviteit, de prestatiemaatschappij beschouwt het als haar visitekaartje. Wij mogen opvallen tegenwoordig, wij mogen ons onderscheiden van anderen.
Of de centrale waarde nu de Ander is of het Zelf, identiteit komt tot stand doordat wij het aanbod van de samenleving in ons opslorpen. Wij maken ons eigen wat oorspronkelijk niet-ik was. Er is geen woord dat wij zelf hebben verzonnen. Er is geen opvatting waarmee wij geboren zijn. Wellicht pijnlijk voor alle zelfverwerkelijkers, maar er is geen zelf dat niet is gecreëerd op basis van het zich eigen *maken* van wat anderen ons hebben voorgekauwd. Elke mening, elke overtuiging, elk principe, elke waarde, elke norm, elk geloof, al onze 'cognities' zoals ze worden genoemd, hebben wij ooit vernomen van anderen. Er is geen baby met cognities. Wij hebben ze vernomen en er vervolgens ja of nee tegen gezegd. Dat maakt de vraag relevant of mensen kunnen veranderen. Is een totale identiteitsverandering mogelijk? Wij denken van wel. In de Koreaanse oorlog is het met hersenspoelingen aangetoond. Goed, je houdt zombies over zonder de vonk des levens, maar ze denken zelf dat ze leven. Ze lopen, ze praten, ze voelen en ze vinden dingen. Overigens is de doodstraf nog te goed voor de beulen die dat hebben aangericht – ze

zouden zelf gehersenspoeld moeten worden.
In wat mindere mate is identiteitsverandering aan de orde van de dag. Wij zien het gebeuren bij sekten, waar de identiteiten tenslotte zo zijn gelijkgeschakeld dat elk lid van de sekte herkenbaar is aan de identieke Hare-Krishnakop. Wij zien het gebeuren in het leger, dat zijn mannen op één lijn probeert te krijgen. Wij zien het gebeuren in bedrijven, vooral Amerikaanse en Japanse bedrijven. 'Een echte McDonalds-man.' Bedrijfsidentiteit.
En altijd gebeurt het door het waardensysteem aan te pakken. Het waardensysteem is de grondslag van elke identiteit. Breng je de McDonalds-waarden in, dan krijg je een McDonalds-man: netjes, klantgericht, goedgehumeurd en fris. Zelfs het geloof kan tot een waarde worden gemaakt: de McDonaldsman is netjes, klantgericht, goedgehumeurd, fris en christelijk...
Cognities zijn de bril waardoor wij naar de wereld kijken. Zij bepalen onze interpretatie van de werkelijkheid. De meesten van ons zijn zeer aan hun cognities gehecht, omdat het diezelfde cognities waren die ons behulpzaam zijn geweest bij de identiteitsvorming. Wij hebben ons ermee geïdentificeerd. Maar blijkbaar kan dat allemaal veranderen zodra wij bij McDonalds solliciteren, of bij een ander bedrijf dat sterk op zijn identiteit leunt.

Strikt genomen begint identiteit pas als het nut en de functie van identificaties ophouden. Hoe minder gehecht wij zijn aan onze cognities, hoe meer wij onszelf zijn. Hoe minder wij onze cognities nodig hebben om identiteit te ervaren, hoe sterker wij in onze schoenen staan. Dat maakt de kameleon tot de sterkste identiteit van al. Het interesseert hem geen fluit of de kleur mooi staat, zolang het maar functioneel is. De mening van anderen kan hem gestolen worden. Hij weet zelf wie hij is, en in welke kleur hij zich ook presenteert, hij voelt zich thuis. Propageren wij hier opportunisme pur sang?
Nee. Wij zeggen alleen dat als onze cognities ons tot last worden, als zij ons meer kwaad dan goed doen, als zij ons zelfs tot keurslijf worden, dat wij dan op zoek moeten gaan naar nieuwe. Net zoals wij dat in onze jeugd deden, proeven van het een, ruiken aan het ander, dit verwerpen en dat aanvaarden. Wij zullen wel moeten, want de wereld waarin wij leven, verandert elke dag van kleur als een kameleon.

De aanleg waarmee wij worden geboren, kan zich in vele richtingen ontwikkelen. Wij kiezen en kiezen, en elke keuze betekent: al het andere niet. Wij slaan wegen in, en andere wegen zullen ons derhalve onbekend blijven. Bovendien zijn onze keuzemoge-

lijkheden beperkt. Zelfs als men over een groot talent beschikt, bepaalt de samenleving tot welke vaardigheid dat talent mag worden ontwikkeld. In de ene samenleving wordt vaardigheid in de jacht gevraagd, in de andere is speerwerpen een respectabele sport. Een jager leidt een ander leven dan een speerwerper, en het is belangrijk te constateren dat wat ooit wellicht een identiek talent was, heeft geleid tot zulke onderscheiden vaardigheden. Het talent is meestal veel breder dan de expressie waarin het wordt gekanaliseerd. Nature, nurture. In dit verband kan men zich afvragen hoe Shakespeare het gedaan zou hebben als filmer, Cruijff als tennisser, en Rubinstein als violist. Wij kunnen ons daar wel iets bij voorstellen; wij denken dat zij ook op die terreinen zouden hebben uitgeblonken. Keuzen, en de consequenties van keuzen...
Ook voor ons eenvoudige stervelingen geldt dat elke keuze een beperking inhoudt. Ook onze identiteit is er maar een van de vele mogelijke. Die beperking aanvaarden is hetzelfde als accepteren wie, wat en hoe wij zijn. Er is geen ander 'ik' mogelijk dan het ik waarmee wij vanmorgen zijn opgestaan uit bed. Alle keuzen, alle lijnen uit het verleden komen hier samen. Maar wat de dag zal brengen, is een open vraag, zo open als onze identiteit dat is. Dynamisch, adaptief, ver-

anderlijk, en in laatste instantie (niet in eerste instantie!) kameleontisch, dat is identiteit. Identiteit is niet 'jezelf zijn' tot de laatste snik, statisch, onveranderlijk en zich niet aanpassend aan de omgeving. Dat is een karikatuur, geen identiteit. In de evolutie overleeft alleen het organisme dat 'fit' is, passend in zijn omgeving en werkend mét die omgeving. Onze omgeving verandert voortdurend, onze identiteit dus ook. Geen probleem, elke nieuwe dag biedt ons het avontuur van identiteit in wording. Kunnen mensen veranderen? Wij geven niet eens meer antwoord.

10. Typologie

In de officiële stressliteratuur werd lang geleden al een mensentype beschreven dat werd aangeduid als de 'type A'-mens. Het belangrijkste kenmerk van dit mensentype is zijn drang om steeds meer in steeds minder tijd te willen doen. Dat bleek heel gevaarlijk te zijn, want de strains ten gevolge van dit gedrag richtten zich vooral op het hart, en dat is een vitaal orgaan zoals u weet.

Kort daarop werden rigiditeit en dogmatisme als belangrijke stressoren ontdekt. Starre vereenzelviging met het waardensysteem blijkt op den duur zulke wrijvingen op te roepen dat stress onontkoombaar wordt – wij hebben in het vorige hoofdstuk al uitvoerig stilgestaan bij hechting aan het waardensysteem. De strains zakten een plaatsje naar de spijsverteringsorganen, met constipatie als belangrijkste signaal.

Beide mensentypes bleken ook maagzweren te kunnen krijgen, en bovendien bleek al spoedig dat iedereen wel wat van het ene of het andere type in zich heeft. Hoe dan ook,

het alfabet is nooit afgemaakt, en de psychologie stortte zich op de cognities.
Een beetje jammer was dat wel, want zo zijn wij nooit toegekomen aan het derde type, dat toch zeker zijn plaats in dit rijtje verdient. Zouden wij het eerste type de *renmens* kunnen noemen, en het tweede de *starmens*, het derde tooien wij met de benaming *opblaasmens*. Het belangrijkste kenmerk van de opblaasmens is dat hij alles voor zich uitschuift. Procrastinatie, wij hebben het even aangestipt in het hoofdstuk over de signalen. De opblaasmens komt niet meer tot daden. Steeds langer wordt de tijd dat hij achter zijn bureau zit, en staart naar het werk dat moet worden gedaan. Steeds groter wordt zijn achterstand, en al wat hij voor zich uitschuift, keert tenslotte terug, in de vorm van elastiek aan zijn rug. In beweging komen wordt steeds moeilijker. De energie die de opblaasmens moet besteden aan smoesjes en uitvluchten, is waarschijnlijk groter dan die hij aan zijn werk kwijt zou zijn. Maar hoe langer hij wacht, hoe onmogelijker de situatie wordt. Tot er ten langen leste niets anders opzit dan opbiechten en met ziekteverlof gaan, als hij al niet is ontslagen intussen.
De stress die uitstelgedrag oproept, is naar ons idee erger dan de stress van rennen en vliegen, of de stress van vasthouden aan wat

de wereld heeft losgelaten. Wij blazen onszelf letterlijk op van spanning door niet te doen wat gedaan moet worden. Kon de opblaasmens de eerste letter op papier krijgen, het eerste telefoontje plegen, kortom, de eerste stap zetten in de richting van een grote schoonmaak, hij zou leeglopen als een ballon. De opluchting zou immens zijn. Maar hij durft niet meer, hij is bang om betrapt te worden.

De renmens lijdt aan de *manana-utopie*: hij gelooft dat hij morgen voor elkaar krijgt wat hij vandaag niet af kon krijgen. Morgen, dan zal ik eindelijk klaar zijn. Morgen, ik wou dat het vast morgen was.
De starmens probeert de tijd stil te zetten. Hij lijdt aan de mythe van gisteren, toen de wereld nog samenviel met zijn cognities.
De opblaasmens lijdt ook aan de manana-utopie: morgen zal ik beginnen. Morgen, wacht maar, morgen. Morgen zal ik het doen. Maar tenslotte, op de dag dat alle manana's op zijn, zal hij net als de renmens moeten terugkijken op een leven dat nooit is geweest wat het zijn moest. Zijn sprookje is het sprookje van de verloren tijd. Hoeveel eenvoudiger zou het niet zijn geweest om gewoon maar ergens, ooit, te beginnen. Het gedichtje op pag. 7 dragen wij op aan al diegenen die daar maar niet in slagen.

Deel III

De macht van de verbeelding

11. Arousal, cognities en emoties

Ons lichaam wisselt voortdurend van toerental. Als wij slapen of lekker liggen te zonnen, staat het op een laag pitje. De ademhaling gaat rustig, de hartslag is traag, en de spieren zijn ontspannen. *Lage arousal* wordt het genoemd.
Doen wij overdag de dingen die wij gewoon zijn te doen, dan zijn ademhaling en hartslag wat sneller en is de spierspanning wat hoger. Het toerental bereikt dan zijn gemiddelde niveau. Dit wordt *gemiddelde arousal* genoemd. Wat 'gemiddeld' is, verschilt overigens van persoon tot persoon, afhankelijk van zijn aard en gestel, en van wat voor hem gebruikelijke dingen zijn.
Bij grote inspanningen draait ons lichaam op volle toeren. Als wij hard hebben moeten rennen om de bus te halen, ploffen wij neer om uit te hijgen. De beenspieren trillen, wij transpireren, de mond wordt droog en de hartslag is snel. Ook maag en darmen kunnen zich dan roeren. *Hoge arousal*.
Al die verschijnselen van hoge arousal kunnen zich ook voordoen zonder lichamelijke

inspanning. 'De man trilde van opwinding, het zweet brak hem uit, het hart klopte hem in de keel, en met een droge mond...' Deze meneer staat misschien op het punt een belangrijke brief te openen, een schat te ontdekken of een misdaad te begaan. Misschien is hij wel verliefd. Hoe dan ook, zijn lichaam draait op volle toeren zonder dat het een inspanning heeft verricht. Hoe kan dat?

Schommelingen in het toerental van ons lichaam vinden doorlopend plaats. Die schommelingen zijn afhankelijk van beelden in de geest. Beelden in onze geest fungeren als commando's waar het lichaam zich met volmaakte trouw op instelt. Het maakt daarbij geen onderscheid tussen werkelijkheid en fantasie, of tussen heden, verleden en toekomst. Elk beeld werkt als een commando en het lichaam brengt zijn arousalniveau ogenblikkelijk in overeenstemming met dat beeld.

Wanneer wij plotseling oog in oog staan met een leeuw, is ons lijf in een oogwenk paraat. De haren rijzen ons ten berge, zodat wij beter kunnen transpireren, het hart gaat wild tekeer om het zuurstoftransport te versnellen, en de spierspanning neemt toe met een schok. Allemaal maatregelen om direct te kunnen vechten of vluchten. Het *fff-syndroom* wordt het genoemd, het *fright-fight-*

flight-syndroom: schrikken, en dan vechten of vluchten. Het is in wezen een functioneel systeem dat abrupt in werking treedt bij schrik.
Strikt genomen komt dat niet door de leeuw die daar staat, maar door het beeld van de leeuw in onze geest. Dat beeld is niet zomaar een plaatje, het is een plaatje bekleed met betekenis. Wij geven die betekenis door gedrag te interpreteren op basis van onze kennis en ervaring. De leeuw zwiept met zijn staart, hij krabt met zijn poot over de grond, hij heeft een lage, sluipende gang en hij kijkt naar mij! Bovendien hebben wij voorafgaande kennis en ervaring: leeuw-roofdier-help. Dat alles kan maar één ding betekenen, en daarop maakt ons lijf zich klaar om te vechten of te vluchten. En wij, wij worden bang. Of misschien worden wij wel heel moedig, het zou kunnen.

Het lichaam kent geen emoties. Men zou hoogstens kunnen zeggen dat het 'opgewonden' is bij hoge arousal, maar emoties heeft het niet. Wij kunnen trillen van schrik, trillen van angst en trillen van woede. Voor het lichaam maakt het weinig uit: spiertrillingen. Wij kunnen blozen van schaamte, blozen van verlegenheid, blozen van blijdschap, ja zelfs blozen van weelde: hoge bloeddruk. Het zweet kan ons uitbreken van angst, woede, frustratie en nog wel een paar emoties: transpiratie. Het hart kan ons in de keel kloppen van angst, verliefdheid en nervositeit: snelle hartslag. Ons lichaam is opgewonden, maar wij zijn geëmotioneerd. De arousalsymptomen zijn zo'n beetje dezelfde bij elke emotie, of wij nu staan te juichen van blijdschap of te sterven van angst. Het is de interpretatie van de arousal in onze geest, die van opwinding emoties maakt. Emoties ontstaan in de verbeelding.

In een inmiddels klassiek experiment van Schachter en Singer is deze visie op emoties getoetst. Proefpersonen werden ingedeeld in twee groepen. Beide groepen werden ingespoten met adrenaline om hoge arousal te creëren. Adrenaline is het hormoon dat het lichaam zelf produceert wanneer de arousal moet worden opgeschroefd. De ene groep wist dat het om adrenaline ging, de andere groep werd iets wijsgemaakt ('vermomde adrenaline').
Onder het wachten op de 'speciale ogentest' die was aangekondigd als het experiment, moest elke proefpersoon alvast een vragenlijst invullen. Dit was het eigenlijke experiment. In de kamer was ook een andere 'proefpersoon', die eveneens de vragenlijst invulde. Dit was een acteur, die Schachter

en Singer hadden ingehuurd voor het experiment. De ene keer gedroeg deze acteur zich vrolijk en opgewekt bij het invullen van de vragenlijst, de andere keer beledigd en kwaad, met woedeaanvallen op de juiste momenten, tot hij de vragenlijst tenslotte verscheurde. Het resultaat van het experiment was het volgende.
Proefpersonen die niet wisten waar hun lichamelijke opwinding aan te wijten was (vermomde-adrenaline-injecties) deelden de emotie van de acteur. Zij werden vrolijk of woedend, naar gelang de acteur zich aan hen voordeed. Proefpersonen die wel wisten dat zij met adrenaline waren ingespoten, vertoonden die neiging niet.

Wanneer mensen weten dat hun hoge arousal te wijten is aan adrenaline (of aan een andere oppeppende drug) of aan lichamelijke inspanning, maken zij er geen emotie van. Pas als wij niet weten waaraan de opwinding moet worden toegeschreven, komen emoties in het spel. Dan slaan wij aan het interpreteren, en blijkbaar laten wij ons daarbij niet alleen leiden door eigen kennis en ervaring, maar minstens zo sterk door voorbeelden in de omgeving. Dat gaat zelfs zo ver dat wij onder precies dezelfde omstandigheden woedend of vrolijk kunnen worden, en dat maakt toch wel enig verschil.

Ook de kennis en ervaring die wij gebruiken om tot onze interpretaties van de werkelijkheid te komen, zijn in hoge mate gevormd door voorbeelden in onze omgeving. De cognities waarmee wij leven, zijn ooit de cognities van anderen geweest, zoals wij in het vorige deel hebben vastgesteld. Toch zijn het *onze* cognities, en wij zijn eraan gehecht. Dat maakt ons tot gewoontedieren wat ons emotionele leven betreft.
Van jongsaf hebben wij geleerd zaken op een bepaalde manier te interpreteren. 'Bah, wat een sombere grijze dag,' zegt moeder omdat de lucht grijs is. Er is niets aan de hand, grijs is gewoon grijs, en er is geen enkele aanleiding tot droefenis. Toch nemen wij die gewoonte van haar over, spreken het haar na als volwassenen en *voelen* ons dus navenant. Was ons geleerd te zeggen: 'Ha, wat een heerlijke grijze dag' – wat wel zo praktisch is in Nederland – wij zouden ons vrolijk voelen. De boer zegt: 'Ha, eindelijk regen,' en voelt zich tevreden, de vakantieganger zegt: 'Bah, regen,' en voelt zich chagrijnig. De dag, het weer en de plaats zijn dezelfde, maar de emoties zijn totaal verschillend. Wij interpreteren onze waarnemingen zoals het in onze kraam te pas komt en zoals wij dat altijd gewend waren te doen.

12. Spanning en ssspanning

Ons gedrag is altijd doelgericht, dat wil zeggen gemotiveerd. Wij willen er iets mee bereiken. Dat geldt zeker als wij een prestatie willen leveren, op welk terrein dan ook. Maar geldt het ook voor de spanning waar wij al dan niet bewust op afstevenen?
Misschien bent u een frequente presteerder. Misschien voelt u al iets van die spanning bij de gedachte aan de volgende prestatie. Wat is de zin daarvan? Hoe zit het dan met die motivatie, die doelgerichtheid? Bent u uit op die spanning? Of misschien toch maar liever niet? Of wilt u het wel, maar ook een beetje niet?
Wanneer u tevoren denkt aan de prestatie die u wilt of moet leveren, zal dat altijd enige opwinding teweegbrengen. *Anticipatie-arousal* wordt dat genoemd, en het ontstaat omdat u denkt aan gedrag dat u nog moet vertonen. Iedereen kent het verschijnsel, niet alleen professionele presteerders. Hier volgen een paar voorbeelden.

Een kind ligt in bed op de avond voor Sinterklaas. Het kan niet slapen van de opwin-

ding en ligt met rode koontjes te woelen. Morgen gebeurt het...

Een meisje zit aan de kaptafel. Zij maakt zich op voor een afspraakje dat haar niet onberoerd laat. De kamer ligt bezaaid met kleren en schoenen die zij beslist niet zal dragen. Zij heeft haar haren achtereenvolgens opgestoken, in een staartje gebonden, en in wanhoop weer los laten hangen. Zij heeft alle kleuren lipstick, blush en oogschaduw al gecombineerd, maar er is er niet één bij die haar bevalt. De deur is al uren op slot. Straks is het zover...

Een gastvrouw loopt nog eenmaal alles na. Het eten, de hapjes, de drank, de stropdas van haar man, het bijzettafeltje dat toch weer ergens anders moet staan. Ook zij heeft rode koontjes. Als laatste gaat zij naar boven om zich te verkleden. Nog een uurtje, dan komen ze...

Een jongen maakt zich klaar voor de finale van een tennistoernooi. Zijn handen trillen, terwijl hij zijn veters vastmaakt. Een warming-up heeft hij niet nodig, hij heeft het zo al warm genoeg. Nog even...

Anticipatie-arousal ontstaat dus omdat men vooruitloopt op de toekomst en daar een

beeld van oproept. Het lichaam 'weet' niet dat het beeld een toekomstbeeld is, en stelt zich er trouw op in. Dat kan heel plezierig zijn, lekker spannend en een beetje eng, zoals bij deze voorbeelden. Maar het kan ook heel anders gaan. Want een prestatie vraagt nogal wat, en dan wilt u dus op uw best zijn. Liefst wilt u helemaal geen fouten maken, maar als u zich dan in gedachten met de te leveren prestatie bezighoudt, gebeurt het maar al te gemakkelijk dat u gepreoccupeerd raakt met het vermijden van die fouten. Dan zal de anticipatie-arousal zeer hoog oplopen en buitengewoon onaangenaam zijn.
Hoge arousal brengt hoge verbranding met zich mee en verslindt dus energie. Energie die u nog hard nodig zult hebben als het moment werkelijk daar is. Bovendien is het slopend om zo in gedachten bezig te zijn, terwijl uw lichaam staat te springen om iets te ondernemen. Dat leidt tot spanning, vermoeidheid en nervositeit, en het is nergens goed voor. U zult niet beter presteren omdat u zich nu druk maakt. Daar zijn tijden voor, om u bezig te houden met oefenen en prepareren. Doet u het buiten die tijden om, dan heeft dat als enig resultaat dat u nerveus en uitgeblust aan de start zult verschijnen. Als u het niet kunt laten om te denken aan de prestatie, wees dan zo verstandig

uzelf niet bezig te houden met de fouten die u *niet* wilt maken. Ga ervan uit dat alles goed gaat, en houdt u bezig met wat u *wel* moet doen. Dat is het belangrijkste van een goede voorbereiding, je bezighouden met wat je te *doen* staat. U kunt nog beter lekker fantaseren hoe u de sterren van de hemel zult presteren dan dat u zich bezighoudt met het vermijden van fouten. Dat is zo'n negatieve instelling, daar kan niets goeds uit voortkomen.

Jesse Owens, de legendarische sprinter die op de Olympische Spelen van 1936 in Berlijn vier gouden medailles won, zei ooit: 'Als het goed is, moet je op een brancard naar de start gedragen worden.' Exploderen deed hij toch wel, maar tot die tijd wilde hij totaal ontspannen zijn, op het lethargische af. Niks anticipatie-arousal, hij wist wat hij kon en hij wist dat hij dat weer zou kunnen. Waar zou hij zich vooraf druk over maken? En zo is het ook, 'exploderen' doen wij toch wel als het moment van presteren is aangebroken. Of u nu een examen aflegt, een wedstrijd tennist of een serieuze partij schaak speelt, het lichaam stelt zich ogenblikkelijk in op de prestatie die het moet gaan leveren. Vandaar dat *confrontatie-arousal* onvermijdelijk is. Op het moment dat u in de startblokken staat, voor welke prestatie dan ook, zal uw lichaam in een flits omschakelen naar het benodigde toerental. Confrontatie-arousal kan dus helemaal geen kwaad en is niets om tegenop te zien. Het is zelfs absoluut noodzakelijk om het beste in u boven te halen. Hoe opgewonden u zich ook voelt, er is niets aan de hand, alles is precies zoals het zijn moet. Zolang u in uw geest geconcentreerd bent op de taak die voor u ligt, zal uw lichaam voor het juiste toerental zorgen. Het kan niet anders, dat lieve, trouwe lichaam van ons, het doet precies wat het baasje zegt. Zolang u zich richt op de taak die voor u ligt, en zolang u hetzelfde weet klaar te spelen tijdens de uitvoering van die taak, zo lang zal het niveau van opwinding precies het benodigde niveau zijn. De *juiste taakspanning* is een gegeven als u professioneel doet wat gedaan moet worden.

Dat lukt niet altijd even goed. Het lukt ook niet met alle dingen even goed. Ieder mens heeft zo zijn voorkeuren. Vandaar dat wij de vraag herhalen, waarmee wij dit hoofdstuk openden. *Wilt* u die spanning? Wilt u hem helemaal, of misschien ook een beetje niet? Kunt u zeggen van uzelf, dat u van presteren houdt *omdat* u een spanningzoeker bent? 'Niets mooier dan trillend en hyperventilerend die pijl afschieten,' zei een boogschutter eens, nadat hij had begrepen dat hij zoveel trainde om wedstrijdspanning te kunnen ervaren. Zelfs die taakspanning bleek de juiste te zijn, want hij werd kampioen van Nederland. De ene mens is de andere niet, en het ene lijf is het andere niet: de meeste mensen zullen met minder toekunnen. Niet iedereen is zo extreem op spanning uit. Maar een beetje genieten van spanning moet u toch wel kunnen, want spanning zal er altijd zijn. Als u dat niet kunt accepteren, of als u dat niet leert accepteren, zult u altijd problemen houden met presteren onder druk. Dan zal de spanning al heel snel tot ssspanning worden, tot stress: een overbelasting van uw draagkracht.

13. Faalangst, slaagmoed en realisme

Bij het leveren van prestaties spelen emoties niet zelden een grote rol. Wij investeren veel, zo niet alles in onze prestaties, en het is geen wonder dat de emoties dan hoog kunnen oplopen. Hoge arousal vraagt om interpretatie, en wij zijn lang niet altijd in staat de arousal louter toe te schrijven aan het feit dat wij een prestatie leveren. Dan gaat de verbeelding aan de slag, en de beelden die dat oplevert, bepalen hoe wij ons voelen. Zijn die beelden gewoontegetrouw negatief gekleurd, dan zullen onze emoties dat ook zijn. Angst, gebrek aan zelfvertrouwen, jezelf bekeken voelen tot verlammens toe, nervositeit, black outs - wij kunnen het onszelf heel moeilijk maken. Zijn de beelden positief, dan hebben wij het een stuk gemakkelijker, maar wij zijn nog steeds onnodig geëmotioneerd. Dan zal de onvermijdelijke opwinding, die elke prestatie begeleidt, ons verleiden tot overdrijving, tot een houding van 'dat doe ik wel even' en andere houdingen die de prestatie ongunstig beïnvloeden. Alles beter dan negatieve beelden, daar niet van, maar het accepteren van opwinding als een vast en onontkoombaar bestanddeel van elke prestatie is toch een stuk simpeler en realistischer. Want als wij aan die opwinding geen woorden meer vuil hoeven maken, hoeven wij ook onze verbeelding niet in te schakelen. Dan zijn wij maar matig geëmotioneerd, als wij het al zijn, en kunnen onze energie professioneel besteden aan de opdracht waarvoor wij staan.

Voor emoties hoeft geen concrete aanleiding te bestaan. De leeuw die plotseling voor ons staat, adrenaline of een acteur die voordoet hoe wij ons moeten voelen, zij zijn niet nodig om geëmotioneerd te raken. Wij kunnen het arousalniveau ook heel goed opjagen met onze eigen fantasie, zoals het kind dat doet op de avond voor Sinterklaas. Dan creëren wij de benodigde opwinding geheel zelfstandig.
Fantaseren doen mensen de hele dag. Elke stap die wij zetten wordt voorafgegaan door beelden in de geest. Dikwijls gebeurt dat vaag en ongemerkt, maar soms merken wij het heel duidelijk en zijn de beelden scherp. Wanneer u rustig thuis uw krantje leest en trek krijgt in een koel glas bier, vormt u zich in uw geest al een beeld van wat u moet doen: de krant wegleggen, opstaan, naar de koelkast lopen – u hebt de film al gezien

voor u de handelingen uitvoert, en vaak met een heldere blik.
De invloed van die beelden op ons gedrag is buitengewoon groot. Nergens wordt dit fenomeen zo duidelijk zichtbaar als bij faalangst. Hoe dat in zijn werk gaat en wat er de gevolgen van zijn, daarover gaat de nu volgende bespreking. Faalangst is maar een voorbeeld, een kapstok om het verhaal aan op te hangen. Maar wij hebben niet zonder reden voor faalangst gekozen. Faalangst is een van de belangrijkste stressoren, zowel in het leven van alledag als bij het leveren van prestaties. Wurgende, verlammende en deprimerende stress kan er het gevolg van zijn. En iedereen heeft het een beetje...

Faalangst komt voor in vele gedaanten. De meest bekende zijn speciale vormen als podiumvrees, plankenkoorts, sollicitatieangst, sprekersangst, 'startfever' in de sport en examenvrees. Maar faalangst kan ook heel algemeen zijn en het hele levensgevoel doortrekken. Dan vragen wij ons bij alles af of het wel zal lukken. Als we naar bed gaan, vragen wij ons af of wij wel in slaap zullen vallen; als we bij de slager staan, of wij niets zullen vergeten te bestellen; als we naar de bioscoop gaan, of het gereserveerde kaartje niet zal zijn doorverkocht; als we de trein nemen, of we op tijd zullen komen; als we...

Meestal treedt faalangst echter pas goed op de voorgrond als het er echt om spant. Soms is dat in situaties die risico in zich bergen, of situaties die nieuw zijn en onbekend. Dikwijls zijn het situaties waarin men wordt beoordeeld door anderen. Maar altijd zijn het situaties waarin men moet laten zien wat men waard is.
De gevolgen van faalangst kunnen heel tragisch zijn. De acteur die de tekst vergeet die hij zo goed kende. De sollicitant die niet wordt aangenomen omdat hij zich niet durft te presenteren. De sportman die in wedstrijden altijd slechter presteert dan op de trainingen. De examenkandidaat die een black-out krijgt. In onderstaand voorbeeld van sprekersangst zullen een aantal zaken u misschien wel bekend voorkomen.

U moet een toespraak houden, op een bruiloft bijvoorbeeld. Bij de gedachte alleen al krijgt u het benauwd. Ondanks krampachtige pogingen wil het met de feestvreugde maar niet lukken. U gaat voor de zoveelste keer naar het toilet, schikt uw kleren en kamt uw haren. U besprenkelt uw gezicht met water, maar het helpt niet veel: vanuit de spiegel staart een verhit gezicht u aan. Terug in de feestruimte kunt u zich slecht concentreren op de gesprekken, de heerlijke hapjes verdwijnen ongeproefd in uw maag,

en u mag wel oppassen niet te veel te drinken. Voor u kan het feest pas beginnen als die toespraak achter de rug is.
– 'Is het hier nou zo warm, of ligt het aan mij?'
Eindelijk is het zover, u tikt tegen het glas en begint. En wat u al vreesde, gebeurt. Het gehoor is maar moeilijk tot zwijgen te brengen, u wordt voortdurend onderbroken door de grappenmaker van het feest, uw eigen grapjes vallen in het water, en de welgemeende diepzinnigheden van gisteravond klinken vandaag oppervlakkig en banaal. Een nachtmerrie. U bent beslist niet de enige die na afloop opgelucht ademhaalt.

Nooit meegemaakt? Nooit zo erg meegemaakt? Nooit zien gebeuren ook? Dan kunt u zich vast wel een andere situatie in herinnering brengen waar faalangst van anderen of van uzelf u kromme tenen bezorgde. Toch wordt niemand met faalangst geboren. Er is geen baby met faalangst. Faalangst doen wij op onderweg in ons leven. De oorzaak is meestal te vinden in een droeve ervaring van falen in de vroege jeugd, maar ook een serie mislukkingen op latere leeftijd kan faalangst doen ontstaan. Wij zullen ons hier niet al te zeer in die oorzaken verdiepen, want gedane zaken nemen nu eenmaal geen keer. Wij zullen volstaan met een voorbeeld van zo'n ervaring, een voorbeeld dat direct al zichtbaar maakt hoe faalangst in vele gevallen tot daadwerkelijk falen leidt. Want dat is het vervelende van faalangst: wat wij vrezen, wordt maar al te vlug waar.

Een jongetje moet als laatste van een groep over een slootje springen. Alle andere kinderen zijn er al overheen en staan te kijken. Tijdens de aanloop schiet het door hem heen: wat zullen ze me uitlachen als ik het niet haal... *Om die dreigende catastrofe af te wenden, houdt hij onbewust een beetje in. Niemand loopt graag zijn ondergang tegemoet, maar het gevolg is natuurlijk wel dat hij inderdaad in de sloot belandt. Druipend en geschrokken kruipt hij op de kant om de lachsalvo's in ontvangst te nemen. Vernederd rent hij weg, hij durft zijn gezicht nog nauwelijks in de groep te vertonen. Dat zal hem niet nog eens gebeuren, zo'n afgang. In de toekomst bedenkt hij zich wel tweemaal voor hij zich in situaties begeeft waarin hij moet laten zien wat hij waard is.*

Zo is het fundament van faalangst gelegd. Misschien was dit jongetje terecht onzeker, omdat hij niet zo behendig was als zijn leeftijdgenootjes. Mogelijk was het geen toeval

dat hij daar als laatste stond. Maar ook dan was zijn kans zo groot mogelijk geweest als hij alles op alles had gezet. Springen moest hij toch, daar zorgde de groepsdruk wel voor, maar omdat hij hinkte op twee gedachten (springen en niet-springen) remde hij af en leidde zijn faalangst tot daadwerkelijk falen.
Nadat het fundament is gelegd, wordt faalangst vooral gevoed en versterkt door negatieve zelfspraak. Iedereen praat in zichzelf – zoals Zere Knie al terecht opmerkte – maar niet iedereen doet dat op dezelfde manier. De zelfspraak van faalangstige mensen speelt zich overwegend af in negatieve bewoordingen: 'Het zal wel weer niet lukken, ik wist wel dat er iets mis zou gaan,' of: 'Zie je wel,' nadat het is mislukt. Een tweede krachtige versterker kan de aanwezigheid van toeschouwers zijn. Heel wat mensen kunnen prachtig zingen in de badkamer, maar daarmee zijn ze nog geen zanger. Dat ben je pas als je het ook kunt met een kritisch publiek in de zaal.

Maar nu iets heel anders: *slaagmoed*. Ook slaagmoed komt aan de orde als men moet laten zien wat men waard is. Het is het tegendeel van faalangst, en dat zijn de gevolgen ook. Stel u dat toespraakje nog maar eens voor.

U moet een toespraak houden, op een bruiloft bijvoorbeeld. De gedachte alleen al windt u op. U geniet met volle teugen van het feest, de gesprekken verlopen uitstekend, de hapjes smaken heerlijk en vandaag lijkt het wel of u kunt drinken zonder dronken te worden.
– 'Is het hier nou zo leuk, of ligt het aan mij?'
Eindelijk is het zover, u tikt tegen het glas en begint. En wat u verwachtte, gebeurt. Het gehoor is direct geboeid, de grappenmaker van het feest zou u niet durven onderbreken, uw eigen grapjes slaan aan en iedereen is onder de indruk van uw welgemeende diepzinnigheden. Een droom. Jammer dat het zo kort moest duren.

Zo kan het dus ook, faalangst is niet verplicht! Faalangst doen wij op onderweg in ons leven, maar met slaagmoed worden wij geboren. Allemaal. Er is geen baby zonder slaagmoed. Wie zijn slaagmoed ongeschonden langs alle klippen des levens weet te loodsen, is als volwassene spekkoper. Hij heeft iets dat velen missen, want meestal wordt slaagmoed onder druk van de omstandigheden ingeruild voor verstandige zaken als een volwassen kijk op het leven, cynisme, zorglijkheid, en natuurlijk faalangst zelf.

Slaagmoed wordt vooral gevoed en versterkt door positieve zelfspraak. Laat Zere Knie het maar niet horen. De aanwezigheid van toeschouwers vormt voor iemand met slaagmoed geen enkele belemmering. Integendeel, slaagmoedige mensen zijn dol op een publiek. Hoe meer, hoe liever, en ze mogen zo kritisch zijn als ze maar willen. Kijk mij eens! Iemand met slaagmoed vertoont geen uitstelgedrag, geen vermijdingsgedrag en geen vluchtgedrag – dat is allemaal voor de faalangstigen. Hij vertoont aanvalsgedrag, hij zoekt het op, die nieuwe, onbekende, risicovolle situaties. Hij zoekt alles op wat hem opwinding bezorgt. Genieten van uitdagingen wordt het wel genoemd.

De psychologie blijft het dapper volhouden: gedrag is doelgericht. Maar hoe doelgericht is het gedrag van het jongetje dat op de sloot afrent? Blijkbaar willen mensen vaak van alles tegelijk. Over de sloot springen, niet springen, afremmen. Dan moet er gekozen worden, en dan gaat het vaak mis. En dat wordt allemaal veroorzaakt door de macht van de verbeelding. Want wie een situatie met faalangst benadert, zet het *stop-go*-principe in werking. Dat zit zo. In uw geest zijn twee beelden. Het ene beeld is dat van de dreigende mislukking; u ziet zich al

in die sloot liggen. Dat wilt u niet natuurlijk, en dat commando bereikt uw lichaam: afremmen, stilstaan, *stop*. Maar er is nog een beeld. U *moet* gaan, door de groepsdruk bijvoorbeeld, en ook dat beeld vormt een commando: rennen, springen, *go*. Wat moet uw arme lijf nu doen, stoppen en gaan tegelijk? Inderdaad, het lichaam probeert aan beide opdrachten te voldoen. Het resultaat is dat het niet voluit gaat, inhoudt, verkrampt en tenslotte zelfs blokkeert. Het lichaam rent en het lichaam remt.
Er zijn illustratieve voorbeelden te over van het *stop-go*-principe. De voetballer die wordt aangewezen om een penalty te nemen (*go*), maar bang is om te missen (*stop*). Hij neemt zijn aanloop, maar even is een kleine onregelmatigheid in zijn bewegingspatroon waarneembaar. Een klein moment van verkramping: het lichaam schiet en het lichaam weigert.
Iemand moet naar de tandarts, maar is bang voor de boor. Met lood in de schoenen vertrekt hij van huis. Lood in de schoenen: het lichaam gaat en het lichaam staat.
Als u de straat oversteekt en de snelheid van het verkeer fout hebt ingeschat, kunt u de *stop-go*-hapering bij uzelf constateren. Naar de overkant rennen of teruggaan? Even hinkt u op twee gedachten en staat als vastgenageld. Dan kiest u, en op dat mo-

ment kunt u weer in beweging komen.
Niet willen, maar wel moeten, twijfelen, hinken op twee (of meer) gedachten, bang zijn: omdat uw lichaam onverenigbare commando's krijgt, ontstaat een hapering in de motoriek. Mensen op de zesde verdieping van een brandend warenhuis willen niets liever dan eruit, maar als zij in hun paniek alle kanten tegelijk op willen, staan zij tenslotte als vastgenageld, slechts in staat tot huiveringwekkend gekrijs...

Met slaagmoed is het omgekeerd, dan treedt het *go-go*-principe in werking. U gaat ervan uit dat u slaagt; u ziet zich al aan de overkant van de sloot. Dat beeld valt samen met het beeld van wat u te doen staat. U hebt dus maar één beeld in uw geest, het beeld van de taak. Slaagmoed en taakacceptatie liggen in elkaars verlengde. Slaagmoed leidt tot een vloeiende motoriek omdat het lichaam maar één commando krijgt en dus vol op zijn doel kan afgaan.
Slaagmoed leidt tot daadwerkelijk slagen zoals faalangst tot daadwerkelijk falen leidt. De beelden worden waar, in de meeste gevallen tenminste. Slaagmoed is dus zeer aantrekkelijk. '*Nothing succeeds like success*,' kan het mooier? Toch willen wij op deze plaats uitspreken dat wij niet dol zijn op het slaagmoedige 'type', zomin als wij

dat op het faalangstige zijn. Blij, uitverkoren en met zelfvertrouwen à go go door het leven stappen, ach, in het brandende warenhuis zijn wij allen tenslotte gelijk. Inderdaad, er is geen baby zonder slaagmoed, maar je moet er wel aan toevoegen dat volwassenen geen baby's zijn.

Laten wij het over realisme hebben. Bij het *stop-go*-principe kan men het *stop*-gedeelte beschouwen als de emotie, en het *go*-gedeelte als de motivatie. Motivatie en emotie stammen beide van hetzelfde 'emoveren', dat 'in beweging brengen' betekent. Motivatie is dan de tendens tot georganiseerd, doelbewust gedrag (*go*) en faalangstige emoties blijken flink wat van die tendens te kunnen afknabbelen (*stop*). Ook emoties bewegen ons, maar als zij ontstaan uit de angst om te falen, bewegen zij ons vooral innerlijk. Dan is er geen beweging in ons te krijgen.
Zie de acteur staan in de coulissen, stervend van de zenuwen. Faalangst, en niet zo'n beetje ook. Zo meteen moet hij op, maar hij is met geen stok het toneel op te krijgen. Iemand geeft hem een duw in de rug en hij struikelt de Bühne op. Hij spreekt zijn eerste regels tekst uit, en zie, plotseling vallen nervositeit en faalangst van hem af. Nu weet hij weer dat hij het kan. Hij voelt zich

nog vreemd en draaierig, maar hij zal het tot een goed einde brengen, al is het wellicht met knikkende knieën. De *stop* is uit de *go* getrokken! Nu weet hij weer dat hij het wil, nu accepteert hij zijn taak.
Motivatie en emotie, psychologen kunnen er boeken over volschrijven. De tendens tot georganiseerd gedrag, en de remmende werking die van emoties kan uitgaan. Wie met faalangst leeft, leeft met het *stop-go*-dilemma. Hij bevindt zich in een lastig parket, want de *stop* geeft hem de zekerheid, dat de angst nooit zal overgaan. Dat kan niet lukken immers. Het is als met een depressie, men weet zeker dat het nooit zal overgaan, maar als men eruit is, kan men zich niet meer voorstellen ooit weer depressief te worden. *Stop-go* en *go-go*, het zijn werelden apart.
Wanneer faalangst niet is betrokken op heel specifieke zaken waar wij tegenop zien - zoals examens afleggen, solliciteren of spreken in het openbaar - dan kan faalangst een levenshouding worden genoemd. Een mentaliteit zo u wilt. Die levenshouding is doortrokken van angst en wordt dus gekenmerkt door vermijdingsgedrag, uitstelgedrag en vluchtgedrag. Bovendien kleeft er een zekere dubbelhartigheid aan deze mentaliteit. Wij vinden het eigenlijk wel best zo en laten de zaak op zijn beloop, maar terzelfdertijd

verwijten wij 'de wereld' dat het ons zo slecht gaat. O, wat zijn er veel goede redenen om faalangst te hebben. Zo best gaat het met de wereld ook niet tenslotte. Faalangst heeft een schijn van realisme waar slaagmoed zich niet op kan laten voorstaan. Maar het is slechts schijn, want in wezen is het een dubbelhartige acceptatie van de feiten. Een dubbelhartige acceptatie van de identiteit, van de levensomstandigheden, van het werk, van de taken en plichten, en zelfs van plezier en ontspanning. Hier te kort en daar te lang, precies goed is het nooit. Dubbelhartige acceptatie, misschien is dat ook een goede definitie van stress. Een dubbelhartigheid die leidt tot halfslachtigheid: nooit vol in de slag gaan, maar ook nooit volop genieten, altijd iets achter houden.

Wij naderen de grenzen van het gebied dat met stressmanagement wordt aangeduid. Kiezen en in beweging komen, dat is jezelf emoveren. Hoe moeilijk het ook kan zijn, tegen *stop-go* is maar één remedie: jezelf het toneel opschoppen. De verlamming zal blijven zolang wij de beslissing uitstellen. De acteur kan alleen maar een keer heel diep zuchten, en dan toegeven dat hij het gewoon moet doen. Acceptatie, en dan het toneel opgaan. Wij kunnen twijfelen aan de zin daarvan, en waarschijnlijk doen wij dat ook, want faalangst en twijfel zijn één pot nat. Maar zelfs in onze twijfel moeten wij toch toegeven dat het anders moet en beter, dat wij nu eindelijk eens... De boer kijkt buiten rond en ziet hoe de zaken ervoor staan. De boer gaat aan de slag en twijfelt geen moment aan de zin ervan.

Deel IV

Stressmanagement

14. Alles op een rijtje

De bedoeling van de voorafgaande hoofdstukken is het weergeven van de kennis en het inzicht, die noodzakelijk zijn voor een hanteerbare en goed gemotiveerde vorm van stressmanagement. Daarom kiezen wij nu, op deze plaats, voor een samenvatting.

- Stress is altijd wat het leven moeilijk maakt. Stressoren, de bronnen van stress, werken vanuit de omgeving op ons in, en zijn verantwoordelijk voor de door ons ervaren belasting of draaglast. Op zich is stress in elk leven onvermijdelijk en tevens noodzakelijk. De dynamiek, de motor van het leven.

- De bronnen van spanning worden niet door iedereen op dezelfde wijze ervaren. Cognities en identiteit zijn ook verantwoordelijk voor stress.

- Er zijn tal van signalen die wijzen op (te veel) stress: signalen uit de omgeving; lichamelijke signalen; mentale signalen.

– Tijdsdruk is de meest pregnante beleving van stress. Mensen die gedurende langere tijd continu stress ervaren zullen uiteindelijk instorten: 'burn out'. De zo dikwijls gestelde 'deadline' zou men ook eens letterlijk kunnen interpreteren.

– Gebrek aan zelfvertrouwen is verantwoordelijk voor faalangst. Te zamen met de hiervan afgeleide sociale angst leidt dit tot een vermindering van de belastbaarheid. 'Emoveren', dat wat mensen beweegt, is een *stop-go*-proces; motivatie en emotie.

– Menselijk gedrag is altijd op te vatten als interactie met de omgeving, vooral met andere mensen. Deze interactie komt tot stand als een samenspel van vele complexe factoren. De toekomst (voorspelbaarheid) is daarom nauwelijks te overzien, maar ons brein weet het steeds overzichtelijk en eenvoudig te houden. Onze toekomstverwachtingen vormen zich door verbeelding in het 'hier en nu'. Daarom heeft elke vorm van stressmanagement betrekking op het 'hier en nu'.

– Bij stressmanagement streeft men naar positieve verandering. De beste kansen liggen daar waar men macht kan uitoefenen. Als men ergens de baas kan zijn, is het wel in het eigen hoofd. De identiteit (persoonlijkheid) wordt opgevat als een dynamisch, veranderbaar systeem. De mentale conditie is trainbaar, net als de lichamelijke conditie.

- Stressmanagement is een levenshouding, een zgn. attitude waarmee men het leven te lijf gaat om zo goed mogelijk het hoofd te bieden aan stress. Ontspanning, en hypnose zo men wil, zijn technische onderdelen. Denkbeelden vormen de uitgangspunten voor ons gedrag. Door middel van mentale training trachten wij denkbeelden te selecteren op grond van haalbaarheid en andere positieve criteria en tevens trachten wij meer energie (meer motivatie) als drijvende kracht achter onze ideeën ter beschikking te stellen.

De laatste vier zinnen hierboven vormen wellicht een samenvatting van het hele boek. Zo simpel is het?
Zo simpel is het niet! Helaas. U moet nog weten hoe, waar, wanneer, hoe vaak, hoe lang, enzovoort. En u hebt vooral behoefte aan inzicht. Want onze inzichten vormen een wel zeer wezenlijk aspect van onze denkbeelden, van onze attitude als men wil, van de wijze waarop wij onszelf waarnemen in het milieu waarmee wij te maken hebben,

van onze persoonlijkheid, van... enfin vult u maar in. Psychologen, trainers, leraren, dominees en pastores enz., therapeuten en opvoeders, hebben daarom altijd veel uit te leggen. Wij dus ook, want zelfverloochening veroorzaakt zware stress.
Wij zullen nu uitvoerig ingaan op de belangrijkste aspecten van stressmanagement: een proces in stappen, waarbij het vooral aankomt op motivatie, zelfvertrouwen, acceptatie, discipline en compartimentalisatie. Daarna volgt in Deel V een handleiding voor de oefeningen, ontspanning en zelfhypnose in combinatie met imaginatie, die de basis vormen van de mentale training waarmee u stressmanagement kunt begeleiden en ondersteunen. Daarna kunt u aan de slag als u wilt. Aan de slag om met uw fantasie een haalbare werkelijkheid waar te maken.
Zo op het eerste gezicht verdragen fantasie (denkbeelden) en realiteit elkaar niet best. Dat stoort!

15. Een wereld van mogelijkheden

Voor zelfmanagement is zeker realisme nodig, net zo hard als fantasie. Wij mogen althans aannemen dat men streeft naar het haalbare en niet naar het desastreuze fiasco.
Waarom fantaseer je eigenlijk niet alles?
Blijkbaar kunnen wij dat niet. Er zijn grenzen aan onze fantasie. Doorgaans maakt ons bewustzijn een tamelijk scherp onderscheid tussen werkelijkheid en fictie. Dromen zijn geen werkelijkheid zoals een schop tegen de schenen dat is. Dromen zijn bedrog, een schop tegen de schenen brengt ons de echte werkelijkheid aan het verstand. Binnen en buiten: onze innerlijke wereld is wel werkelijk, maar niet zo werkelijk als de wereld buiten ons. Misschien is communicatie wel het sleutelwoord. De werkelijkheid die wij delen met anderen, noemen wij immers 'objectief'.
De meeste 'exacte' wetenschappen – zoals wiskunde, natuurkunde en astronomie – barsten uit hun voegen van de fantastische verzinsels. Wat is werkelijkheid, wat fantasie? In zijn wereld van abstracties en verzin-

sels struikelt de fysicus over een koelkast, en het ding blijkt nog te werken ook. Is de koelkast fantasie omdat hij alleen in het hoofd van de fysicus bestaat? Is hij pas werkelijkheid als hij bij ons in de keuken staat?

Voor zelfmanagement is realisme nodig, zeker, maar ook fantasie. Wij streven naar het haalbare, maar wij doen dat in een wereld van verzinsels. De menselijke wereld is een verzonnen wereld. Elke koelkast en elke tafel, elke straatsteen en elk huis, het papier waarop u dit leest, álles is eerst verzonnen voor het in de wereld kwam. Wij zijn omringd met produkten van de verbeelding. Wij leven in een wereld van gestolde dromen en hard gemaakte fantasie. Waarom zouden wij dan niet álles verzinnen? Wat let ons? Het is toch maar een mogelijke wereld, een wereld van waargemaakte mogelijkheden?

Schrödinger (wis- en natuurkundige) is met zijn katteverhaal al bezig ons een en ander aan het verstand te brengen. Stelt u zich voor een kat in een volledig gesloten box. In deze box een mechaniekje dat ervoor kan zorgen dat in de box een dodelijk gas vrij komt. Als het mechaniek af gaat, zal de kat onmiddellijk sterven. De kans dat dit zal gebeuren, of al gebeurd is, is fifty-fifty. Zo lang wij de box niet openen, zijn er twee mogelijkheden, beide even waarschijnlijk. De kat leeft of de kat is dood. Als wij de box ter inspectie openen, zal een van deze beide mogelijkheden zich realiseren. Leve de kat, of treurnis. Eén mogelijkheid wordt door ons tot realiteit geforceerd, de andere is weg. Waar is die andere gebleven? Was dat fictie of werkelijkheid? De ene mogelijkheid blijkt achteraf verijdelde fictie, maar de andere fictie wordt van mogelijkheid tot werkelijkheid. Wij openen de box en hoera, wij gaan verder door het leven met een levende kat. Is er dan misschien nog een andere wereld waarin wij verder moeten met een dode kat? Zijn er talloze mogelijke werelden die van elkaar niets wéten?

Wij weten niet wat wij doen, maar wij ontnemen de kat een kans op leven of dood. Wij kunnen blijkbaar ook niet anders. Wij kunnen niet eeuwig bij die gesloten box blijven zitten in de weelde van twee mogelijkheden.

Op een of andere manier dient zich in ons bewustzijn één werkelijkheid aan. Die werkelijkheid kunnen wij enigszins veranderen, maar ook een veranderde werkelijkheid is de werkelijkheid. Tegelijkertijd dringt zich onweerstaanbaar de illusie op dat die door ons ervaren realiteit 'de' realiteit is, zoals wij allen die ervaren. Goed, wij weten ook wel dat je op verschillende manieren naar één en het-

zelfde schilderij kan kijken, maar het gaat dan toch om dát schilderij.
Als er één onderwerp is dat zeer persistent opduikt in de filosofie, is het dit wel. De theoretische natuurkunde botste met dit dilemma zelfs op het niveau van uitgekiende laboratoriumexperimenten waarbij men gebruik maakte van uiterst geavanceerde waarnemingsapparatuur, vooral onder invloed van Einsteins relativiteitstheorie en wat later nog duidelijker door de ontwikkeling van de theorie over de quantummechanica. Het maakte ons veel wijzer, en opnieuw nog meer duidelijk dat de werkelijkheid ons nooit geopenbaard zal worden. Mensen die natuurkunde beschouwen als een superexacte wetenschap, vergissen zich deerlijk. De natuurkundige is ook maar een mens, die gist en veronderstelt, fantaseert, creëert en bedenkt, en met werkelijkheid of waarheid niets te maken heeft. Hij kan het ook niet snappen en neemt genoegen met de principiële onvoorstelbaarheid; het went. Op zijn hoogst begrijpt hij dat hij het niet begrijpt, en hij begrijpt niet hoe hij het nog ooit zal kunnen begrijpen. Als u het niet begrijpt, geen nood. Indien u niet of nauwelijks weet wat quantummechanica is (de aanleiding tot Schrödingers katteverhaal), geen nood. De theoretisch-natuurkundige weet er 'alles' van, en heeft daarmee van

materie en energie, van tijd en ruimte, kortom van de wereld en het heelal, een veel meer genuanceerde voorstelling van 'al wat is'. Pardon (!) zou de natuurkundige nu interrumperen, pardon, het zou juister zijn te zeggen dat wij wetenschappers een meer genuanceerde voorstelling hebben van alles wat mogelijkerwijs zou kunnen zijn. Bedoelt u misschien meer fantasie?
Wij ervaren dagelijks met grote vanzelfsprekendheid de tijd en de ruimte, waar het begint en eindigt en waar weer iets anders begint, en wij praten over dingen en gebeurtenissen alsof wij ze zelf gemaakt hebben, en zo is het ook. Als de nacht niet bestond, zouden wij niet weten dat het dag was, dat beseffen wij heel goed, maar wij zitten nog met problemen die wij als holbewoner ook al hadden. Wat is eigenlijk 'niets'? Géén, tijd, géén ruimte, géén dingen, niets! Dat is wat anders dan het verschil tussen dag en nacht. Hoe kan iets beginnen wat er altijd al geweest moet zijn. In den beginne was het als aan het eind der tijden, woest en ledig, maar vol van verwachting over het heelal, eindig in oneindigheid. Aha, de 'big bang' en dan nog 'over and over again'. Onze natuurkundige zal instemmend en stimulerend knikken, vooral de filosoof in hem, maar hij kan zijn lach niet onderdrukken.

Een van Kierkegaards meest beroemde stellingen luidde: ‘De subjectiviteit is de waarheid.’
Wij gebruiken dagelijks onze fantasie, en die fantasieën gaan altijd over de werkelijkheid. Wij beschouwen zelfs onze fantasie als één werkelijkheid, die dan weer wordt onderscheiden van ‘de’ werkelijkheid. Wij ervaren onze fantasie als vrij én beperkt. Wie het begrijpt, mag het zeggen, maar blijkbaar hebben wij er ook niet zo veel moeite mee.
Kunnen wij ons trouwens voorstellen hoe het zou zijn als wij volledig lak hadden aan de realiteit? Met andere woorden, indien wij in staat waren alles te fantaseren? Wellicht zou men toch weer uitkomen op één werkelijkheid, al was het maar om nog iets van ons eigen identiteitsbesef overeind te kunnen houden. Eén wereld is ons genoeg. Een identiteitscrisis kan heel goed beschreven worden in termen van een keuzeprobleem. Identiteit wordt bepaald door kiezen en afwijzen, door orde te scheppen in chaos.
De filosoof en de natuurkundige houden het niet voor gezien. Wij zetten ’s avonds de televisie aan om te kijken naar wat er vandaag werkelijk is gebeurd, of om te genieten van een film of een ballet. De manager blijft voortdurend alert, om te trachten het best

mogelijke resultaat op de werkelijkheid te veroveren. En wij blijven u aanmoedigen uw fantasie los te laten op de realiteit.

16. Stappen

Stressmanagement is niet zo maar een woord. De associatie met de manager van een bedrijf ligt voor de hand, en dit is precies de bedoeling. Een manager geeft leiding aan een bedrijf; hij loodst het reilen en zeilen van een onderneming door het woelige water, vol van zichtbare en onzichtbare gevaren, naar een veilige haven. Hij streeft steeds naar het best haalbare resultaat.

Dit proces van leiding geven en besturen kan men beschrijven in een aantal stappen of fasen. Telkens is er sprake van inventarisatie en evaluatie: wat is er aan de hand; gaat het goed of dreigt het fout te gaan; kan het wellicht beter? Vervolgens dient men keuzen te maken, beslissingen te nemen en prioriteiten te stellen. Dan moet er een plan op tafel komen, een uitgestippelde route. Daarna vindt de ontmoeting met de werkelijkheid plaats, en vervolgens weer evaluatie, bijsturen, nieuwe maatregelen, enzovoort. De maat nemen en regelen.

Men hoeft het eigen leven niet 'als het ware'

te vergelijken met een zakelijke onderneming. Het leven is een onderneming.

Diezelfde fasen kunt u onderscheiden bij stressmanagement, of liever, zelfmanagement. Bij zelfmanagement onderneemt men iets met het eigen leven; men neemt het leven ter hand. Om hierbij succesvol te kunnen opereren, dient een aantal voorwaarden vervuld te worden: een kwestie van management.
Het allerbelangrijkste is dat u baas wordt in eigen hoofd. Wat dit in de praktijk betekent, laat zich met tal van voorbeelden illustreren:

- de zaken realistisch afwegen voordat u iets belooft (te doen);
- 'nee' leren zeggen;
- uw afspraken daadwerkelijk en prompt nakomen, ook de afspraken met uzelf;
- datgene waartegen u 'ja' zegt, volledig accepteren;
- niet steeds alles voor u uitschuiven (procrastinatie) omdat u sowieso de 'deadline' verwacht, de afgrond door falen, mislukken;
- de moed opbrengen van tijd tot tijd te kijken naar datgene wat u om welke reden dan ook hebt geaccepteerd als uw taak;
- risico aandurven;

- bovenal: leren inspanning en ontspanning in afwisseling te beheersen.

Dit einddoel: ‘de baas in eigen hoofd’ - is natuurlijk een dwaas ideaal, maar als wij het beschouwen als een metafoor, als een beeld, dan valt er toch over te praten. Wat zijn idealen anders dan beelden om over te praten?

U zou nu kunnen beginnen met de eerste stap. U zou kunnen beginnen met de ontspanningsoefening (zie Deel V).

17. Motivatie

Laten wij eens beginnen met motivatie. Hoe zit het met uw motivatie? Als u aandachtig doorleest, en al bent begonnen met de ontspanningsoefening, zijn de zorgen waarschijnlijk nog niet te groot, maar als u bij het lezen van onze beschouwingen telkens verzucht: ja, jullie hebben makkelijk praten, maar ik heb nergens zin in, nergens plezier in, ik kan nergens enthousiast voor worden, ik zie overal tegenop, ik ben bang, verdrietig en agressief tegelijk, enzovoort, en ik moet nog zien wie mij eruit haalt... dan zult u waarschijnlijk diep en treurig zuchtend, en met onze instemming, eraan toevoegen: 'Ik ben depressief.'
Dat is geen lolletje. In de eerste plaats is het op dit moment voor ons, de schrijvers, van belang (nogmaals) te verkondigen dat wij niet de pretentie hebben mensen gelukkig(er) te maken. In de tweede plaats dienen wij erop te wijzen dat, helaas, niet iedereen weer op de rails is te krijgen met een praatje en een plaatje. Mensen kunnen zo ver zijn doorgeschoten dat een veel krachtiger en

doortastender benadering is geboden. Het zoeken van professionele hulp bijvoorbeeld, of misschien zelfs wel medicijnen, voorgeschreven door de arts of psychiater. Laat in elk geval duidelijk zijn dat onze werkwijze met zich meebrengt dat u niet strikt individueel benaderd kunt worden. Alle initiatief ligt bij u. Alle verantwoordelijkheid ligt bij u.
Een depressie kan loodzwaar en loodgrijs zijn, gekoppeld aan een instorting, afknappen, een 'nervous break down' of een 'burn out', en het kan lang duren en veel energie vergen (ook van buitenaf door hulp) eer men er weer bovenop komt. De pressie is altijd het gevolg van een proces met vele interacties en wie het aangaat is niet altijd in staat tot goede analyses, laat staan goede oplossingen, geheel varend op eigen kracht en koersinzicht. Het is onmogelijk in dit bestek alle 'ins and outs' te behandelen of de revue te laten passeren. Het ene rouwproces is niet het andere, en een rouwproces is bovendien weer heel iets anders dan faalangst. Wat zou men bijvoorbeeld kunnen verwachten van iemand als de hierna te beschrijven professionele voetballer uit de Nederlandse eredivisie, die iets te klagen had en professionele hulp zocht.

– De klacht kon kort worden samengevat. Hij voelde zich al geruime tijd zeer onzeker,

angstig en gespannen, vooral ook in de wedstrijd en zelfs tijdens de training. Hij sliep slecht; hij kon niet meer genieten, van niets. Hij beschreef het als 'door de hel gaan', en zei niets ervan te kunnen begrijpen. Nooit eerder had hij zo iets meegemaakt. Hij had altijd met plezier en onbekommerd als een straatvoetballer zijn wedstrijden gespeeld. Hij had nog nooit een duidelijk mindere periode doorgemaakt; nooit echt gefaald; ook nu niet, ondanks zijn uit het niets neergedaalde handicap. Hij was zesentwintig.
De met voortvarendheid ingezette mentale training haalde niet veel uit. Er trad wel verbetering op, maar niet genoeg. Zijn grote zelfvertrouwen van weleer kwam niet terug. Intussen werd er natuurlijk ook gepraat. Geïnventariseerd en geanalyseerd. Dat leverde enig inzicht op, hetgeen eenvoudigweg neerkwam op het volgende.
De ellende was ongeveer anderhalf jaar geleden begonnen, vlak na zijn huwelijk, dat overigens goed was. Toch was dat waarschijnlijk de oorzaak van de ommekeer, te zamen met zijn, althans voor een sportman, reeds gevorderde leeftijd. Vroeger, toen hij zeventien, achttien was, gold hij als een grote belofte. De toeschouwers langs de kant wezen op hem en zeiden: 'Dat wordt een grote.'
Nu echter kon hij niet langer de grote belof-

te uithangen; nu diende hij er te zijn! Maar hij durfde niet te zijn wie hij was; wat heet 'identiteit'. Hij was bepaald geen opschepper, maar liep naast zijn schoenen, aan de andere kant. Ook naast zijn voetbalschoenen. In het boek De winnaar is gezien *(van P.S. Blitz), wordt het in de titel al duidelijk gemaakt. Het 'noblesse-obligesyndroom' (adeldom verplicht); 'to be or not to be – to be nowhere'. Identiteit accepteren, ook als dat de vedetterol inhoudt; dat is de keuze.*
Dit bleek het inzicht dat hij nodig had. Het bleek de juiste pepvoeding voor de verbeelding waarmee hij weer de gewenste koers kon uitzetten. Voor de ideeën als basis voor meer acceptabel gedrag. Voor gedrag dat uitzicht bood op een positief gekleurde levenservaring.

De vraag is nu: zou deze voetballer alleen door het lezen van dit boekje en het uitvoeren van de bijgevoegde oefeningen er ook uit gekomen zijn? Dezelfde vraag is relevant ten aanzien van al die vreselijk knappe studenten, die vlak voor het afstuderen de ene na de andere reden hebben om (nog) niet af te studeren (althans vroeger, toen het nog kon); en de vraag is relevant ten aanzien van de managers die (eigenlijk) niet naar hun werk durven, de operazangers die hun

mond niet durven opendoen, de 'acteur' met plankenkoorts.
U zult zelf oordelen. Wij zijn van mening dat het zou(!) kunnen, hoewel wij moeten bedenken dat inzicht in en oordeel over andermans persoonlijke problemen vaak heel wat gemakkelijker tot stand komen dan ten aanzien van de eigen problematiek. Maar het zou kunnen, ondanks al die ingewikkelde interacties. Aan de andere kant willen wij nogmaals erop wijzen dat het zoeken van professionele hulp in principe een goed idee is.
Er zullen ook mensen zijn die 'het verhaal' niet geloven, zelfs psychologen! Geen nood. Dan maken zij maar een ander verhaal. Een verhaal zal er zijn, sowieso. Alleen zijn niet alle verhalen even stevig doortimmerd qua structuur, niet even plausibel, niet even duidelijk.
Er zijn trouwens ook wetenschappers, onder wie psychologen, die menen dat de vraag naar 'waar zijn' absoluut niet ter zake doet. Een verhaal zal er altijd zijn, en geen twee zullen hetzelfde zijn.
Nogmaals, hoe zit het met uw motivatie? Is uw verhaal voorzien van een goede structuur, plausibel en duidelijk? Krijgt u daardoor goede ideeën en slaagt u erin genoeg energie ter beschikking te stellen voor de uitvoering daarvan?

Moet nog even worden ingegaan op 'omstandigheden'? Bijvoorbeeld op het feit dat de één zich volledig laat afkeuren met een mild hartgebrek, terwijl de ander in een invalidewagentje Olympisch kampioen boogschieten wordt, nadat hij eerder al eens valide Olympisch kampioen werd op de marathon (Abebe Bekila). Of de ene persoon die na het sterven van zijn/haar vader in een diepe en langdurige depressie schiet, en de ander die jaar na jaar, van minuut tot minuut kreperend, met ongekende taaiheid het concentratiekamp overleeft. Dan wilt u natuurlijk ook nog weten of en eventueel begrijpen dat daarna het concentratiekampsyndroom zich openbaarde. Een globale analyse? De concentratiekampervaring was misschien te verschrikkelijk voor een verhaal. Toch ging het leven daarna verder. Het syndroom is een probleem 'hier en nu' en heeft net zo veel te maken met de verwachtingen voor morgen als met de ervaringen uit het verleden.
Kunnen wij het ooit begrijpen? Nee. Kunnen wij het ons voorstellen? Ja, dat denken wij althans, en dat moet genoeg zijn.

Het probleem bij depressies en ook bij de negatieve gevolgen van overmatige stress (burn out) is dat men eigenlijk een uitweg moet forceren. Niet voor niets leggen psy-

chologen, psychiaters en andere deskundigen in de gezondheidszorg de nadruk op de noodzaak tot actief blijven, hoe dan ook. De 'running therapeut' is al lang tot zelfs binnen de psychiatrische inrichting doorgedrongen. Trimmen; joggen. Een schop onder de kont en hollen met de geit. Sport en spel, creativiteit, werk; op zoek naar de grote uitlaatklep. Wat moet er nu zo nodig uitgelaten worden? In elk geval is duidelijk dat er een hoop energie vrij komt. Depressieve personen kunnen trouwens zeer beeldend beschrijven wat zij ervaren, zoals de astronoom die zichzelf een zwart gat noemde – er kwam niets meer uit. Al met al is het activiteitadvies natuurlijk niet slecht. En de vraag naar de oorzaak van de frustratie (remming, blokkering) van energie is relevant.
Wat houdt mij zo tegen? Waarom wil ik zo weinig, of zelfs niets? Ben ik verdrietig? Angstig? Waarom? Waarvoor? Probeer het u voor te stellen. Verzin een verhaal.
Naar wij hopen is duidelijk dat wij met de beschrijving van de inhoud van het begrip 'zelfmanagement' al dik op weg zijn. Wij moeten ons wel beperken tot de grote lijnen, iets anders zou onverstandig zijn. Inventarisatie en evaluatie, net als de manager in de onderneming. Daarna kiezen en beslissen; een route uitstippelen; ontmoeting met de werkelijkheid en weer opnieuw, van voor

af aan. Die fasen bestaan natuurlijk niet echt. Er zijn zelfs geen momenten die in elkaar overgaan, nee, wij kunnen uiteindelijk met niets anders bezig zijn dan met 'hier en nu'. Elke vorm van management heeft te maken met doelstellingen en middelen; met de vraag naar energie, kracht, vermogen, wenselijkheid en haalbaarheid. U moet nu omkijken; gebruik een verrekijker of een vergrootglas; u had al eerder iets gezien, maar gebruik vooral uw fantasie; u had al eerder iets bedacht. U moet nu vooruit kijken; hebt u nog andere hulpmiddelen dan fantasie? En u kunt alleen maar 'nu' kijken naar nu of wat dan ook; fantasie?
Motivatie, slaagmoed, fantasie (ook wel creativiteit genoemd) en realiteit (de haalbaarheid), dat alles is van eminent belang voor het management.

18. Zelfvertrouwen

Het voorafgaande handelde over het ongrijpbare, nu terug naar het begrijpelijke van het harde leven. Morgen zal het mooi strandweer zijn, maar u zou ook gaan solliciteren. U denkt erover toch maar bloemen te kopen voor uw vrouw. Morgen een belangrijke afspraak, een toespraak, een inbraak. Wat u nodig hebt, is zelfvertrouwen. Het lijkt wel alsof u daarvan nooit genoeg kunt krijgen. Gebrek aan zelfvertrouwen kan een verwoestende bron vormen van stille ellende. Angst en depressie, stagnatie en mislukking, druk op de ketel van binnenuit zonder uitlaat, overbelasting.
De basis voor zelfvertrouwen is zelfkennis. Vertrouwen hebben in iets, wat dan ook, veronderstelt verwachtingen over dat iets op grond van kennis over dat iets. Zelfkennis dient men als alle kennis te vergaren. Zelfkennis vormt een logisch en onvermijdelijk element bij inventarisatie en evaluatie, en bij het formuleren van doelstellingen. Zelfkennis komt tot stand door ervaren, experimenteren, zichzelf op de proef stellen. Daar-

toe is noodzakelijk dat men leert te luisteren naar zichzelf. Vraagt men een ervaren hardloper een rondje van 60 (sec.) te lopen, dan is hij daartoe tot op de seconde nauwkeurig in staat. Vraagt men hem vervolgens hoe lang hij dit tempo kan volhouden, dan kan hij dit heel nauwkeurig aangeven (voorspellen). Leren luisteren naar het eigen lichaam is voor een topsporter van eminent belang, niet alleen in de wedstrijd, maar ook gedurende elke seconde van de dagelijkse training. En aangezien de mentale instelling uiteindelijk doorslaggevend is voor het niveau van de prestaties, kan men er gerust aan toevoegen dat ook luisteren naar de geest vereist is.

Zelfkennis garandeert overigens nog geen zelfvertrouwen. Men kan beschikken over voldoende zelfkennis en toch niet in staat zijn daaraan voldoende zelfvertrouwen te ontlenen. Dit komt ten dele door onvoldoende explicitatie, dat wil zeggen zich onvoldoende concreet realiseren over welke kennis en vaardigheden men beschikt. Het is te vergelijken met een gerecht. Men heeft het dikwijls gegeten en weet precies hoe het smaakt, maar men kent niet alle ingrediënten. Verder heeft de relatie zelfkennis-zelfvertrouwen te maken met de ervaringen en de interpretatie daarvan, meer in het algemeen gesproken met opvoeding en milieu,

met persoonlijkheid zo u wilt. Bovendien moeten zelfkennis en zelfvertrouwen gerelateerd worden aan expliciet geformuleerde doelstellingen. Het is niet genoeg zich voor te nemen kampioen te worden, of directeur, of moeder, of beroemd. Men dient zich ook de consequenties te realiseren en men dient deze te accepteren. Hierop komen wij nog uitvoerig terug.
Het is overigens bijna vanzelfsprekend dat men bij beschouwingen over zelfvertrouwen ook denkt aan prestaties, zo niet aan topprestaties. De vereiste motivatie tot het leveren van prestaties kan gefrustreerd (geremd) zijn door faalangst, of door gebrek aan faalmoed of slaagmoed, of door slaagangst, een kwestie van nuancering. Enfin, wij stonden al uitvoerig stil bij het belang van motivatie, maar motivatie wordt ook in sterke mate beïnvloed door het waardensysteem, alweer een kwestie van cultuur, subcultuur, opvoeding en milieu.
Talent alleen is niet genoeg. Als het om (top)prestaties gaat, is talent een noodzakelijke bijzaak. Discipline is dan vervolgens alles waarom het draait (en die discipline hangt dan weer samen met zelfvertrouwen en motivatie). Ook hierop komen wij straks nog terug. Men zou kunnen zeggen dat presteren altijd wat kost; hard werken, stress. Wel, het kan zijn dat men het er niet

voor over heeft - het waardensysteem. Dan is in dit verband de opmerking dat ook dat waardensysteem gekend moet worden (zelfkennis) eigenlijk overbodig.

Management heeft voortdurend behoefte aan inventarisatie en evaluatie, de logische consequentie van een doel-en-middelen-cyclus. Wat heb je in huis; de maat nemen. Voor zelfkennis betekent dit informatie over kennis en vaardigheden, over motivatie en frustratie, en over aspiraties. De eigen maat nemen.
Men moet met dit proces eigenlijk altijd een beetje bezig zijn, maar men kan ook zo nu en dan eens nadrukkelijk aan de gang gaan. Men kan dit doen tijdens of na de ontspanningsoefening of de zelfhypnose. Allerlei vormen van meditatie zijn en waren (traditioneel) onder andere hierop gericht. Maar het kan ook in het bad of liggend in de zon, of tijdens een wandeling, enzovoort.
Een belangrijke ondersteuning met betrekking tot het effect, maar ook met betrekking tot helderheid (expliciteren), kan gevonden worden in 'vastlegging', dat wil zeggen opschrijven of erover praten met iemand anders waarmee men veelvuldig en vertrouwelijk omgaat. Dit laatste vormt een onderdeel van een zgn. sociaal contract.
Van groot gewicht is natuurlijk de bereid-

heid tot het zich blootstellen aan 'avonturen'. Men moet durven experimenteren, want de ervaring is nu eenmaal onontbeerlijk, en hoe positiever, hoe beter. Niet alleen het lef om naar zichzelf te kijken is nodig, maar ook de moed om zichzelf af te tasten. Een haalbare doelstelling (aspiratie) en vervolgens aan de slag gaan om dit doel te realiseren. Succesbeleving motiveert enorm. Het is dus domweg zaak te zorgen voor succes, en dit is niet zo moeilijk als het klinkt. Haalbaarheid en kleine stapjes, dat is het geheim. Ook hier kan het model dat de meeste topsporters hanteren, van dienst zijn. Topsport immers, is te beschrijven als een steeds grimmiger gevecht om steeds kleinere beetjes. Voortdurend aftasten van de eigen grenzen. Voortdurend bezig met het verleggen van de grenzen. Stap voor stap.
Vandaar de grote nadruk op het creëren van proeftuintjes, ofte wel testsituaties (Deel V).

19. Acceptatie

Wie iets wil ondernemen dient keuzen te maken, beslissingen te nemen, prioriteiten te stellen, dat behoeft op dit punt geen nadere toelichting meer. Dit brengt echter consequenties met zich mee, en deze consequenties zijn daarmee niet automatisch geaccepteerd, hetgeen op het eerste gezicht wellicht bevreemdend voorkomt.
In de paragraaf over motivatie kwam al naar voren dat het 'noblesse-obligesyndroom' (slaagangst) een succes behoorlijk in de weg kan staan. Waarom mensen een dergelijke vorm van slaagangst ontwikkelen? Plausibele antwoorden zijn wel te vinden. Je zou kunnen zeggen: 'Dan moet je zo veel,' of kunnen wijzen op het gevaar dat onmiddellijk op de loer ligt indien men met het koppie boven het maaiveld uitsteekt.

Wie besluit iets te gaan doen aan zelfmanagement en daarbij denkt aan mentale training, heeft onvrede. Er is wellicht een duidelijke aanleiding, er zijn oorzaken, gevolgen en bedoelingen. De onvrede kan betekenen dat men 'niet' accepteert. Die onvrede hoeft niet groot of dramatisch te zijn. Men kan immers ook vanuit een solide basispositie streven naar 'nog beter'. Niet accepteren is echter een stap verder dan onvrede, en het is de eerste stap op weg naar verzet. Dat vraagt om een strategie, en de strateeg heeft behoefte aan overzicht. De gegevens wil hij duidelijk in kaart gebracht zien. De mogelijkheden worden geschetst. Vandaar dat imaginatie zo'n centrale rol speelt in mentale training – de verbeelding aan de macht.

Niet accepteren is opnieuw de vraag naar zelfkennis en de vraag naar andere, betere doelstellingen. Hoe duidelijker de verbeelding, hoe beter. Want een gerede vraag bij niet accepteren is: 'Wat wilt u dan wel?'

Datgene wat u wel wilt, moet door u volledig geaccepteerd worden, met alle consequenties van dien. De professionele zangeres met vele jaren van studie achter de rug, die in haar studeerkamer, en zelfs in haar badkamer, betoverend de schoonste liederen vertolkt, maar moeite heeft met optreden voor publiek, is in feite (nog) geen zangeres. Zij heeft eigenlijk haar beroep nooit geaccepteerd, want dat beroep houdt in dat zij iets te vertellen heeft aan het publiek. Dán is zij zangeres.

Dikwijls streven mensen doelen na die zij eigenlijk niet willen. Dat kan terecht zijn.

Dan is alle streven vergeefs. Het kan ook zijn dat men na een nuchtere afweging van kosten en baten kan komen tot volledige acceptatie van de consequenties. Onze zangeres zal zich bij haar eerste lessen op de muziekschool niet gerealiseerd hebben dat de zangeres die zij in haar hoofd had, tot haar zestigste zou moeten leven met de behoedzaamheid en discipline van een professionele topsporter. Op het moment dat zij het conservatorium betreedt, wordt het toch tijd dat zij zich hiervan een duidelijke en geaccepteerde voorstelling maakt. Dat geldt ook voor haar publiek, haar eeuwige begeleiding, en de noodzaak tot kennis van vreemde talen, om maar eens wat willekeurige andere consequenties te noemen.
Het verschijnsel van de eeuwige tweede of van de eeuwige verliezer is heel goed te interpreteren in termen van dubbelhartige acceptatie. De hardloper die in kansrijke positie op de eindstreep afstormt, wil heus wel winnen. Al die pijn, al die moeite, al die offers, dagelijks gedurende vele jaren; wat een investering. Maar hij wil ook een heel klein beetje niet. Hij zei altijd: 'Of ik nog kampioen word? Oh, daarmee houd ik mij nu niet bezig hoor. Voorlopig doen wij alleen maar ons best, en wij zien wel hoe ver wij komen.' En hij meende het oprecht. Het klonk ook oerdegelijk en zeer acceptabel.

Goede pr. Maar hij zegt het nu nog: 'De rest (?), dat zien wij morgen dan wel weer' - nu, op het hoogtepunt van zijn carrière. Regelmatig stormt hij op de eindstreep af in kansrijke positie. Op papier is hij een van de favorieten. Hij zou kampioen kúnnen zijn. Helaas, pech. Hij komt steeds net iets te kort. Het gaat ook om zulke kleine beetjes, om honderdsten van een seconde.
Dergelijke hardlopers komen ook dikwijls reeds vermoeid aan de start, al was het alleen maar doordat zij al drie dagen van tevoren van streek raken; en niemand mag het merken, stel je voor. Wat een verschil met Ben Johnson, die tweemaal, breed en luidruchtig aangekondigd, een fabuleus wereldrecord loopt op de juiste momenten - wereldkampioenschappen en Olympische spelen. 'Zenuwachtig? Meneer, dit is mijn vak, en ik weet precies wat ik kan.' Natuurlijk liep Johnson met doping. Over doping werd al nauwkeurig nagedacht door de vakmensen (de professionals) toen Johnson nog spillebenen had, met alle gevolgen van dien. Over vak gesproken, en over talent, roeping en toewijding. Die violist heeft natuurlijk pilletjes nodig voor het slapen, voor de generale, en voor de première, en daarna ook nog wel. Een dergelijke situatie doet zich ook voor bij menige representatieve functionaris in het bedrijfsleven, die dagelijks

zulke flitsend motiverende presentaties dient neer te zetten. Met de uitstellers lieten wij u ook al eerder kennis maken - procrastinatie! Ineens nemen zij stapels werk van kantoor mee naar huis. Dan maar niet, of later met vakantie. De student die peppillen nodig heeft om op gang te komen met de studie, maar dan ook goed, dag en nacht door. Dat is nodig, want hij heeft nog maar één maand voor het examen, en al twee maanden achterstand.

Het kan ook mis gaan in de kleine dingen. De tandarts, een nieuw rijbewijs of paspoort, vier nieuwe banden onder de auto - het komt er maar niet van - ik heb ook eigenlijk geen geld... nou ja, het moet toch - ik heb ook geen tijd, geen zin... ach, ik doe het heus wel, maar... Vervelende banale klussen voor je uitschuiven zoals de afwas, dat mag je dan speels een karakterfoutje noemen, maar heel belangrijke gebeurtenissen waarop je met weinig zelfvertrouwen afstevent, op een dergelijke wijze negeren, dat is de magie van de struisvogel. Die magie moet plaats maken voor de vragen: 'Wat wil ik?' en 'Wat kan ik?' (of omgekeerd). Dan staat er bij een duidelijk geformuleerd antwoord: 'Dat kan ik en dat wil ik.' Dan zijn de consequenties overwogen. Dan is acceptatie geen punt meer. De vraag: 'Waarom gebeurt er dan niets?' kan achterwege blijven.

Over vak gesproken, en carrière maken, en verantwoordelijkheid en belofte; 'wie wil, kan winnen' is onzin, zeker in de sport. Misschien kunnen anderen meer; niets aan te doen (tenzij). Weten wat je wilt en niet wilt, en kunt en niet kunt, is geen onzin; integendeel. 'I wanna die having done something' is alleszins redelijk. Dat geldt niet alleen voor topsport of muziek, maar evenzeer voor kantoor, studie, opvoeding van kinderen, huwelijk, vriendschappen, noem maar op.
Volledige acceptatie betekent volledig ergens achter staan; het kan slechts tot stand komen middels duidelijke voorstellingen met een zo gedetailleerd mogelijk overzicht van de consequenties. Het resultaat zal zijn dat energie wordt gemobiliseerd en gericht ter beschikking gesteld. Men is bereid te betalen; het staat op de begroting; engagement.
Men kan natuurlijk niet alles overzien, maar wel veel. De toekomst mag formeel niet meer zijn dan verwachtingen met een zekere mate van waarschijnlijkheid, maar het accent kan alleen maar in het 'hier en nu' gelegen zijn. Vage voorstellingen en slordige overzichten geven aanleiding tot onvoldoende bewust gemaakte keuzen, tot beslissingen genomen op onduidelijke gronden, tot onzeker en inconsequent stuurman-

schap. Het geldt voor de kleine zaken van vandaag en morgen - de afwas, de boodschappen, de tandarts - en voor de grote belangrijke zaken in de nabije toekomst of wat verder weg - de belangrijke bespreking, vergadering of toespraak, het examen, de sollicitatie, de verbintenis, de carrière. Wanneer keuze en besluit eenmaal geaccepteerd zijn, kunnen de beelden daarna een globale abstracte vorm aannemen. Net als de herinnering aan uw vakantie van vorig jaar, als een opgerolde film in het hoofd, maar als u wilt kunt u de beelden nog gedetailleerd aflezen.

Tot slot nog een opmerking over dagdromen en hun contrast met geaccepteerde verbeelding (of werken met doelstellingen, zoals dat tegenwoordig zo verwachtingsvol wordt genoemd in de taal van de cursus 'modern management'). De gebochelde kan in zijn fantasie als een 'Lawrence of Arabia' op een kameel door de woestijn trekken, maar als hij zich een geaccepteerde voorstelling tracht te maken, zal hij toch met zijn extra ballast tussen de bulten moeten plaatsnemen. De functie van dagdromen wordt niet eenduidig opgevat. Dagdromen werd en wordt gezien als een neurotisch symptoom, maar ook meer opgewaardeerde functies worden eraan toegeschreven, waaronder zeer voor de hand liggende: uitlaat, creativiteit, soulaas, tussenstap, te veel om hier op te noemen. Men zou ook kunnen zeggen: wij weten het niet zo goed - en dat zal misschien zo blijven. Onze interpretaties en verklaringen met betrekking tot nachtelijke dromen bevinden zich in ongeveer dezelfde status. De relatie tussen dromen en dagdromen, een voor de hand liggende associatie, is allerminst duidelijk, maar men kan naar hartelust speculeren. Zijn er ook relaties met stress? Hoe heviger de pijn van het gemis, des te meer neiging tot dagdromen? Is dat op te vatten als uitlaat, compensatie, signaal? Allemaal mogelijk! Wij weten het niet zo goed. Laat ons voor alle zekerheid de nadruk leggen op 'wij' en eraan toevoegen dat wij geneigd zijn te zeggen: ga gerust uw gang, zo lang u niets verontrustends ervaart. U kunt het niet laten, dat is zeker.

20. Discipline

Met de betekenis van discipline lieten wij u reeds kennis maken. 'I wanna die having done my thing', dat staat of valt met discipline. Daarmee is eigenlijk alles gezegd. Zonder kennisname van onze beschouwingen over discipline zal vrijwel iedereen in staat zijn zich een oordeel te vormen over de eigen discipline. Wij willen dan ook veel verder onaangeroerd aan u overlaten, en slechts enkele minder voor de hand liggende aspecten (nogmaals) naar voren brengen.

Agenda
De agenda is een sterke ondersteuning voor discipline. Die afspraken zult u niet licht vergeten, die notities zult u niet licht negeren. U kunt de functie van uw agenda uitbreiden voor tot nu toe minder gebruikelijke zaken. Schriftelijke vastlegging van evaluaties en voornemens is sowieso een sterke ondersteuning voor zowel discipline als acceptatie evenals sociale verbintenis (overt commitment, openlijke stellingname, sociaal contract), ofte wel: communiceren met anderen.

Eén voorbeeld slechts: U vindt dat u de laatste tijd (te) hard werkt en (te) weinig onderneemt om de sleur te doorbreken. Er zou wat meer leven in de brouwerij moeten komen. Al ging u maar eens naar de bioscoop, de disco of iets dergelijks. Schrijf het op, leg het vast in de agenda.
Dit brengt ons meteen op het volgende onderwerp.

Rust en prestatie

Mentale training wint nog dagelijks aan populariteit binnen zo op het eerste gezicht zeer uiteenlopende kringen. Op het eerste gezicht zeer uiteenlopend, want bij nader inzien ontdekt men al gauw de gemeenschappelijke noemer. Steeds gaat het om personen die zeer gedreven streven naar het optimaal realiseren van hun talenten, personen die gericht zijn op het behalen van (top)prestaties. De meest in het oog springende groepen zijn topsporters, podiumartisten, musici bijvoorbeeld, grote managers uit het bedrijfsleven en politici. Deze mensen hebben allen gemeen dat zij zeer efficiënt dienen om te gaan met de factor 'tijd'. Verder hebben zij gemeen dat zij in staat moeten zijn binnen de hun ter beschikking staande tijd frequent om te schakelen van het ene op het andere onderwerp. Dit laatste geldt vooral voor managers en politici. Ook

hebben deze mensen gemeen dat zij een schrijnende belemmering als faalangst niet kunnen gebruiken. En ten slotte hebben deze personen met elkaar gemeen dat de totale hoeveelheid beschikbare energie altijd beperkt is. Dit laatste geldt uiteraard voor elke sterveling. 'Eens is het op.'
Het is intussen opmerkelijk dat men binnen de hierboven genoemde groeperingen ook steeds meer personen aantreft die zich met een of andere vorm van mentale training hebben verbonden zonder de voor de hand liggende aanleiding van de eerste of zoveelste ineenstorting. Met andere woorden, steeds meer personen die beseffen dat voorkómen beter is dan genezen, ook als alles goed gaat en tot nu toe ook altijd goed ging. Het kenmerkende van op prestaties gerichte personen is dat zij altijd streven naar meer, beter, hoger; ook al zijn zij kampioen, recordhouder of 'on top of the bill'. Men kan hooguit tevreden zijn, maar perfectie bestaat niet.
Heel vaak vragen minder op prestatie beluste personen zich af hoe een dergelijk leven kan worden volgehouden. Het antwoord op deze vraag wordt het meest duidelijk geformuleerd in de wereld van de topsport. Elke trainer/coach kan met verve duidelijk maken, dat 'rust' het belangrijkste onderdeel vormt van elk trainingsprogramma. Zo (!) is dat dus wel vol te houden.

Compartimentaliseren

Elk huis bestaat uit een verzameling compartimenten; kamers en kamertjes. Als men in zo'n huis de verschillende plaatsgebonden functies een beetje door elkaar laat lopen, kan dat nog heel gezellig worden. Uw dagelijkse bezigheden hebben een soortgelijke vorm van compartimentaliseren nodig. U kunt niet voortdurend met alles tegelijk bezig zijn. Er is een tijd voor alles, wisselende prioriteit, wisselende aandachtspunten. Geen gemakkelijke zaak, dat staat vast. De mopjes over de huisvrouw die zich tijdens het vrijen met haar echtgenoot afvraagt of de vuilnis wel buiten staat, zijn afgezaagd. De echtgenoot die kampt met seksuele impotentie omdat hij altijd zo veel aan zijn kop heeft, is een patiënt.

Het is in wezen een aandachtsprobleem; een probleem van concentratie, van beheersing van (psychische) energie. De baas zijn in eigen hoofd. Er zijn stellig omstandigheden waaronder het absoluut niet kan, en misschien zijn er geen omstandigheden waaronder het absoluut kan.

Over de vraag of concentratie is te leren, zijn de meningen binnen de psychologie nogal verdeeld. Dikwijls beweren mensen dat hun ervaringen met hypnose, of zelfhypnose, aanmerkelijk heeft bijgedragen tot hun concentratievermogen. Wij zullen

later nog wat uitvoeriger ingaan op het fenomeen hypnose; feit is dat concentratie het meest kenmerkend is voor de toestand van hypnose. Allerlei vormen van meditatie kunnen het vermogen tot 'spelen met aandacht' versterken; voor de één wel, voor de ander niet. De wetenschappelijke basis voor dergelijke subjectieve ervaringen is uiteraard niet uitgesproken sterk. Dit laatste geldt al helemaal voor zogenaamde speciaal bedachte concentratieoefeningen.
Wij brengen u nogmaals in herinnering dat concentratieproblemen bij het uitvoeren van taken weinig kans krijgen wanneer men de taak in kwestie volledig kan accepteren. Het beheersen van de benodigde energie, hoeveelheid, gerichtheid en afwisseling, kan gezien worden als een onderdeel van de taak. Dit speelt vooral bij goed geautomatiseerde taken (dus goed geleerde taken) een rol. Er kan dus wel degelijk iets geleerd worden met betrekking tot concentratie. Faalangst of slaagangst, het kwam herhaaldelijk ter sprake, kan daadwerkelijk mislukken in de hand werken doordat men ook energie ter beschikking stelt voor tegengesteld gerichte gedragstendensen. Remmen, verkrampen, blokkeren, en zelfs volkomen desoriëntatie kan het gevolg zijn.
Enfin, u kunt het verhaal zo langzamerhand zelf aanvullen. Kunnen, willen, doen. Com-

partimentalisatie - acceptatie. En mentale training kan bijdragen tot het beschikbaar stellen van de energie achter voornemens (ideeën), zodat de daadwerkelijke uitvoering krijgt toebedeeld wat nodig is, niet meer en niet minder.

'Nee' zeggen

Leren 'nee' zeggen. Zeker ook een aspect van discipline. Logisch, want bijna al het voorafgaande handelde over 'ja' zeggen. Kiezen en beslissen, prioriteiten onderkennen, ja zelfs de vorming van identiteit, is immers een kwestie van louter accepteren en (dus ook) afwijzen.
De reden waarom hier, heel kort, 'nee' zeggen aan de orde wordt gesteld, is dat het voor veel mensen een apart probleem lijkt te zijn. Wij zijn van mening dat dit inderdaad 'lijkt', maar toch...
Voor de personen die menen dat het hen betreft, zijn twee zaken van belang. Ten eerste dient men zich af te vragen waarom men zo kenmerkend moeite heeft met 'nee' zeggen. Ten tweede of men het dermate storend vindt dat men van plan is er iets aan te doen. Is dat het geval, dan zal blijken dat het zeer goed mogelijk is via mentale training voor zichzelf proeftuintjes te verzinnen, en aldus proefondervindelijk te leren wat mogelijk is...

Perfectie
Gaat het nu bij stressmanagement om het streven naar perfectie? Het antwoord luidt uitdrukkelijk 'neen'! Perfectie bestaat niet; dat lijkt ons althans een gezond uitgangspunt.
De ervaring leert dat mensen die serieus aan de gang gaan met mentale training, vaak in korte tijd tot opmerkelijke verbeteringen komen. Dat leidt dan tot tevredenheid, tot een vorm van zelfvoldaanheid, en terecht! Helaas leert de ervaring tevens dat men daarna de neiging heeft te verslappen. Het gevaar bestaat dat men na verloop van zekere tijd weer terugzakt in de oude vertrouwde nonchalante wijze van omgaan met zichzelf. Omdat het allemaal (weer) zo goed gaat?
Ergo, men hoede zich voor een vorm van zelfvoldaanheid die licht leidt tot laksheid en onzorgvuldigheid. Wij zeiden het al: perfectie bestaat niet; dat zou letterlijk geestdodend zijn!

Een tweede waarschuwing behelst een nog ernstiger zaak: Men hoede zich voor overdrijving. Als niets perfect kan zijn, dan ook mentale training niet. Nooit en te nimmer mag mentale training verworden tot een vorm van neurotisch dwangmatige overbelasting, noch daartoe aanleiding geven. Ze-

ker bij mensen die prestatief zijn ingesteld ligt de 'grote gekte' op de loer. Dan veel liever een vorm van verantwoorde nonchalance, van weldadige onverschilligheid.
Deze waarschuwing is zeker op zijn plaats, omdat telkens weer blijkt dat maat houden vooral na de beleving van succes een delicate aangelegenheid kan zijn. De dagelijkse discipline is van groot belang, maar het allerbelangrijkste is waarschijnlijk dat de aspiraties, de doelstellingen, realistisch in overeenstemming blijven met de capaciteiten.
Wij kennen legio verhalen over mensen die beginnen met een hartinfarct, en vervolgens de revalidatie zo drastisch ter hand nemen en voortzetten, dat zij enige jaren daarna vigeren op de startlijsten van de grote marathons als die van New York en Boston. Hiermee is niet gezegd dat wij iets tegen marathons of triatlons hebben, maar wat wij van groot belang achten, is de weloverwogen keuze waardoor dit soort activiteiten wordt bepaald. Het moet niet zo zijn dat men op een goede dag wakker wordt en constateert dat men topsporter is geworden, met alle gevolgen (verplichtingen) van dien. Erin gerold omdat het zo goed ging en steeds beter werd. En dan maar doorrollen en doorhollen. Met tegenzin(?), maar ook met ongecontroleerde dwangmatige afhan-

kelijkheid. Enfin, grote kampioenen worden het nooit, en als dat ook niet de bedoeling is...
Overigens, niet iedereen hoeft een groot kampioen te worden. Niet iedereen bezit de daartoe benodigde begaafdheid, en niet iedereen die het zou kunnen, wil het ook; (nog afgezien van de mogelijke verschillen in stimulatie door het milieu, hetgeen vaak reeds vanaf de vroege kinderjaren noodzakelijk lijkt). Gelukkig (!) zijn niet alle mensen gelijk.

Het komt ons voor dat iedereen 'iets' moet ondernemen. Moeten in de zin van niet anders kunnen! Wie 'niets' doet, doet ook iets. In onze optiek is het van belang dat men tracht (met nadruk: tracht) bewust en verantwoordelijk met zichzelf om te springen. Dat men poogt te komen tot iets wat op zelfmanagement lijkt. U (!) moet kiezen, besluiten, en doen. Dat kan en wil niemand anders van u overnemen. (Wij praten uiteraard nog steeds binnen het kader van stressmanagement; niet in het kader van slachtoffers van onderdrukking, oorlog of armoede.)
Kortom, wij willen u enthousiast maken voor mentale training. U zou dit boekje kunnen beschouwen als een cursus 'hoe tem ik mijzelf'. In het begin zult u regelmatig

moeten oefenen, in principe dagelijks, maar naarmate u meer vertrouwd raakt met de methode, en naarmate u meer positieve effecten ervaart, kan de frequentie en de regelmaat van oefenen afnemen. Het is de bedoeling dat gaandeweg uw mentaliteit verandert, dat uw discipline verbetert, zodat u meer tevreden wordt over uzelf en de onvermijdelijke stress beter gehanteerd kan worden. Het is zeker niet de bedoeling dat u verwordt tot een robot die keurig binnen de afgebakende paden bestuurbaar blijft, integendeel. Men moet altijd bereid en in staat zijn de grenzen te bereiken of zelfs te overschrijden. Geslaagde mensen hebben alleen gemeen dat zij in tegenstelling tot angst voor falen durven te falen (faalmoed). Er zijn overigens van cultuur tot cultuur nuanceverschillen in de waardering. Als u hier failliet gaat, wijst men u heimelijk na, en achter uw rug wordt met discretie over u gefluisterd. In de Verenigde Staten is het een aanbeveling!
Wie nooit zijn nek uitsteekt, zal ook nooit iets bereiken. Grenzen overschrijden, uit de band springen, van tijd tot tijd zwak zijn, niets en niemand zal u dat beletten. De bedoeling van deze mentale training is te bereiken dat u weet wat u wilt, en beseft waarmee u bezig bent. En dat geldt zeker ook voor de mentale training als zodanig. Opdat

het niet op zich een nieuwe tijdrovende en energie opslorpende stressor wordt. Niet een nieuw geloof, niet een nieuwe sekte, laat staan een nieuwe gekte.

Deel V

Mentale training

21. Imaginatie

Imaginatie is de mentale techniek waarmee u toekomstig gedrag kunt voorbereiden. Daarbij zijn twee zaken van belang. In de eerste plaats dient u het gedrag zo levendig mogelijk voor uw geestesoog op te roepen. U moet het niet alleen voor u zien, u moet het ook voelen, u moet zich volkomen inleven.* In de tweede plaats dient u zich het ideale, gewenste gedrag voor te stellen, en wel alsof u het al tot in de puntjes beheerst. De techniek is oorspronkelijk afkomstig uit de wereld van de topsport. Zij dient om het aanleren van motorische vaardigheden als lopen, springen en werpen te versnellen en te vervolmaken. Laten we als voorbeeld een hoogspringer nemen, die staat te 'mediteren' voor de sprong. Elke pas van de aanloop, de exacte plaats van de afzet, de inzet van de sprong en de wijze waarop hij over de lat zal zweven, neemt hij tevoren door tot in detail. Daarbij gaat hij er natuurlijk

* Vandaar dat de veelgebruikte term 'visualiseren' ('een beeld scheppen in de geest', 'voor je zien') in feite te beperkt is.

van uit dat de sprong zal slagen. Deed hij dat niet en stelde hij zich in op een mislukte sprong, dan zou zijn lichaam dat commando proberen te realiseren, waar het vrijwel zeker in zou slagen.
Imaginatie is dus de mentale techniek waarbij u zich het gewenste, ideale gedrag zo levendig mogelijk en zo gedetailleerd mogelijk voor de geest haalt, met als doel dat gedrag uit te voeren in de werkelijkheid. Imaginatie is dus wat je noemt mentale training: kiezen voor het gedrag dat u wenst, de verbeelding aan het werk zetten en het gedrag vervolgens uitvoeren in de werkelijkheid.
In het hoofdstuk *Proeftuintjes* zullen wij hierop terugkomen. Eerst zullen wij nu ontspanning en hypnose bespreken, de twee technieken waarmee u de concentratie kunt bereiken die nodig is voor imaginatie.

22. Ontspanning

Troebel water kan het best worden gereinigd door het met rust te laten. Pas als de wind gaat liggen en niemand in het water roert, kan de modder naar de bodem zakken en herwint het water zijn oorspronkelijke helderheid. Met de menselijke geest is het net zo. Onafgebroken is zij in beroering door de wind van waarneming en informatieverwerking, en daar overheen roeren wij er nog eens in met onze onophoudelijke zelfspraak. Spiegelend Bergmeer zal het met ons eens zijn, alleen als zij even vrijaf krijgt, kan de toestand van rust en helderheid ontstaan, die wordt ervaren als diepe ontspanning. Meestal gebeurt dat pas in de slaap; helaas merken wij er dan niet zo veel van.

Ontspanning door concentratie is de basis van mentale training. Wellicht ten overvloede: concentratie vraagt inspanning. De ontspanning wordt bereikt door inspanning. Die ontspanning is geen doel op zich, maar dient als startpunt van een gerichte training. Zij dient bovendien als startpunt voor de

vorm van (zelf)hypnose, waar onze voorkeur naar uitgaat.
De voordelen van vorderingen in het vermogen tot ontspanning zijn vooral:

- Ontspanning vormt een goede ondersteuning in de aanloop naar belangrijke evenementen en spannende gebeurtenissen. Het is heel prettig om met anticipatie-arousal te kunnen omgaan zoals u dat goeddunkt.

- Ontspanning is goed bij vrijwel alle activiteiten, zelfs activiteiten die een maximale inspanning vereisen. De gewichtheffer en de sprinter, de balletdanser en de musicus, zij zullen het beamen. Vanuit ontspanning leert men de dichotomie van inspanning en ontspanning beter kennen en beheersen. Het verbetert de instelling op de taakuitvoering, het maakt de taakspanning die wordt opgeroepen door de taak, automatisch tot de juiste, en geeft remmende krachten weinig kans. Met ontspanning wordt heel wat *stop* uit de *go* getrokken.

- Het vermogen tot ontspanning is een zegening na elke (in)spanning. Het bevordert het herstel van lichamelijke en mentale vermoeidheid.

Oefening algemene ontspanning 1 en 2

De eerste oefening op kant 1 van het bandje staat in de vakliteratuur bekend als de methode van progressieve spierrelaxatie. De methode is in de jaren dertig van deze eeuw ontwikkeld door E. Jacobson. Relaxatie betekent ontspanning en het woord progressief betekent in dit geval dat men met oefening leert zich dieper en sneller te ontspannen. Uitgangspunt hierbij is dat lichamelijke ontspanning vrijwel altijd leidt tot mentale ontspanning, en dit te meer wanneer men het proces van die ontspanning geconcentreerd volgt.
De kamer waarin u de oefening doet, is liefst schemerdonker. Geluiden van buiten mogen wel doordringen, maar niet te veel als u zonder koptelefoon traint. De beste plaats om te oefenen is uw bed; op de bank kan ook. Maak knellende kledingstukken los of trek ze uit, evenals uw schoenen. Neem een liggende houding aan waarin het mogelijk is alle spieren te ontspannen. Leg een kussen onder uw hoofd en een onder uw knieën, zodat ze licht gebogen zijn. Haal een keer diep adem, zet alle problemen van de dag opzij, en neem het besluit de oefening zo goed mogelijk uit te voeren. Start het bandje.
Tijdens de oefening wordt u gevraagd spier-

groepen te spannen en ontspannen. Bijvoorbeeld de beide handen, de linker- en rechterhand afzonderlijk, de spierballen, enzovoort. U spant alleen de spiergroepen die genoemd worden, de rest van het lichaam blijft ontspannen. Wanneer u dus wordt gevraagd uw hand te ballen tot een vuist en te knijpen zo hard als u kunt, dient de spanning duidelijk beperkt te blijven tot de hand en de spieren van de onderarm die daarvoor nodig zijn. De rest van het lichaam (let vooral op uw gezicht, buik en andere hand) moet en kan hierbij volledig ontspannen blijven. Dit wordt *lokaliseren* genoemd.
Tijdens het spannen richt u de aandacht op het waarnemen (voelen) van de opgewekte spanning ter plaatse, en na de instructie tot ontspanning bestudeert u de terugkerende ontspanning aandachtig. Zo ondervindt u het verschil tussen gespannen en ontspannen spieren aan den lijve. U zult zoals iedereen merken dat u veel gespannener bent dan u denkt.

De oefening op het bandje duurt ruim twintig minuten. Na ongeveer vijf tot tien keer oefenen (bijvoorbeeld in een week tot maximaal een maand), kunt u beginnen met de tweede ontspanningsoefening op kant 1 van het bandje: ontspanning met een open ein-

de. Het is de bedoeling dat u dit open einde invult met imaginatie-oefeningen van uw keuze (zie het hoofdstuk *Proeftuintjes*). Om de oefening te besluiten telt u zich uit de ontspanning, zoals u hebt geleerd bij de eerste oefening.
Er zal een moment komen dat u zover bent dat u zonder bandje kunt gaan oefenen. Deze overgang naar zelfstandig oefenen is van vitaal belang. Ten eerste, de stem van een ander, hoe fraai ook, kan op den duur gaan irriteren. Ten tweede, wie baas in eigen hoofd wil zijn, vermijdt natuurlijk afhankelijkheid van een bandje. Ten derde kan het geen kwaad om te leren uzelf commando's te geven. Dat kan wat vreemd zijn in het begin, maar het went snel als u zich realiseert dat alle zelfspraak in feite een commando is, net als beelden dat zijn. En ten vierde, ontspannen is meer dan een oefening, het is een levenskunst. Het ontwikkelen van een eigen stijl in de oefening vergemakkelijkt de integratie van ontspanning in het leven van alledag.

Na de overgang tot zelfstandig oefenen kunt u een begin maken met het inkorten van de oefening. Allereerst laat u de herhalingen achterwege. Vervolgens kunt u de ene spiergroep na de andere laten vervallen, waarbij de spieren van de handen, de nek, en de buik het langst gehandhaafd blijven. Tenslotte bereikt u het stadium dat u de ontspanning kunt oproepen door met volledige aandacht uw niet-dominante hand tot een vuist te ballen. Voor linkshandigen is dat de rechterhand, voor rechtshandigen de linker. Voor het gemak zullen wij in het vervolg spreken van de linkerhand, waar de niet-dominante hand wordt bedoeld. Als u dagelijks oefent, bereikt u dit stadium in ongeveer een maand. Ook hierin kunt u zich verder bekwamen door oefening. Het is als met fietsen en zwemmen, u verleert het nooit, maar met oefening gaat het nog beter.

23. Hypnose

Fabeltjes en misverstanden

Weinig onderwerpen zijn zozeer omgeven met fabeltjes en misverstanden als hypnose. De hoeveelheid onzin die met moemakende regelmaat over haar 'mysteriën' te berde wordt gebracht, gaat alle perken te buiten. Voor een deel komen die misverstanden voort uit de wereld van theater en variété. Een 'hypnoshow' kan verantwoord en interessant amusement zijn, maar niet zelden is het pure kitsch, ondersteund door goochelen en bedrog.

Ook de medische wereld heeft haar steentje bijgedragen aan het slechte imago van hypnose. Er zijn medici geweest, en misschien zijn ze er nog wel, die zich hypnose hebben toegeëigend en verkondigden dat het alleen onder medisch toezicht mocht worden toegepast. Zelfs ten aanzien van de in de sport zo populaire autogene training – een van hypnose afgeleide techniek die overeenkomt met zelfhypnose – hebben artsen gewaarschuwd voor onoordeelkundig gebruik. En dat wil zeggen, voor gebruik zonder me-

disch toezicht. Zulk een houding suggereert natuurlijk gevaar, maar gevaar voor wat? Mysterie...
Ten slotte zijn er de hypnotiseurs zelf, van diverse pluimage, die zich de zeldzame gaven, welke aan hen worden toegeschreven, maar al te graag laten aanleunen. De hypnotiseur als moderne Raspoetin. Kijk eens diep in mijn doordringende ogen, dan zal ik je onderwerpen aan mijn wil. En vergeet mijn paranormale gaven niet!
Hoed u voor hypnose, dat is de boodschap die ons bereikt. Mensen zijn in het algemeen dan ook bang voor hypnose. Zij vinden het eng en griezelig, maar zij zijn tevens mateloos geïnteresseerd. Vooral de vraag of men onder hypnose dingen zou doen die men eigenlijk niet wil, blijkt velen te boeien. Maar ja, wat willen wij 'eigenlijk'?
Om nog meer misverstanden te voorkomen: men kan wel degelijk fouten maken of stompzinnige doelen nastreven bij het gebruik van hypnose. Ook misbruik, uit onkunde of uit onoirbare motieven, is in principe mogelijk. Wanneer het gebruik van hypnose echter wordt ondersteund door een simpele instructie en een heldere, inzichtelijke procedure, is iedereen in staat tot een beoordeling van de doelstellingen en van de effecten.

Zelfspraak en de eigen wil

Zoals u intussen zult hebben bemerkt, is innerlijke stilte een van de kenmerken van diepe ontspanning. Eindelijk zijn wij in staat onze mond te houden. Wij kunnen spreken, maar wij kunnen ook zwijgen, al naar verkiezing. Een kwestie van concentratie. Steeds minder mensen kunnen dat, stoppen met 'denken' (ha!). In de moderne bovenkamer is het nog maar zelden stil.

Wanneer u 's avonds knus in bed ligt en de dag nog eens naloopt (wij hebben het nu niet over malen en slapeloosheid), kunt u ongestoord uw gang gaan. Babbeldebabbel, plaatjeplaatje, babbeldebabbel... U trekt het dekbed nog eens lekker over de schouders en knort van genoegen. Zelden voelt u zich zo eigen, zo 'ik', als in die momenten vlak voor het inslapen. Zelfspraak in ontspanning is heel intiem, en aan die intimiteit ontleent het een vanzelfsprekende autoriteit. Het geeft ons met terugwerkende kracht een gevoel van identiteit.

Stel u nu voor dat een ander die zelfspraak overneemt. Een hypnotiseur dus. U zwijgt en luistert geconcentreerd, dat hebt u met hem afgesproken. Hij praat en suggereert, en zijn suggesties komen uit. Het zijn eenvoudige suggesties, zoals het warm worden van uw arm, suggesties die uw lichaam gemakkelijk waar kan maken. Zo krijgt zijn stem de autoriteit die normaliter aan uw zelfspraak is voorbehouden. Nu kunt u zijn autoriteit accepteren, iets waar u anders, of u zou willen of niet, moeite mee zou hebben. Het bereiken van de hypnotische trance heeft dus niets te maken met de wilskracht van de hypnotiseur. *Alle hypnose is zelfhypnose* – als u het niet wilt, gebeurt er niets. Samen bepaalt u dat u onder hypnose wilt komen om een zeker doel te bereiken. Hypnotiseur en hypnotisant, beiden stellen zich ter beschikking.

Ontspanning

Ontspannen is een levenskunst, hypnose een mentaal vermogen dat wordt aangewend voor specifieke doeleinden. De bewustzijnstoestand die trance wordt genoemd, is niet bruikbaar voor het leven van alledag, in de zin dat ontspanning dat is. U kunt er overigens rustig mee rondlopen, en niemand zal iets merken, want zoveel verschilt de trance niet van andere bewustzijnstoestanden. U bent gewoon bij uw positieven, of u dat nu jammer vindt of juist een geruststelling.
Om tot de hypnotische trance te komen, is ontspanning strikt genomen niet noodzakelijk. Ontspanning, vooral lichamelijke ontspanning, is veel minder kenmerkend voor hypnose dan vaak wordt verondersteld. Desondanks kunnen ontspanning en de hypno-

tische trance uitstekend samengaan. Deze combinatie staat ons voor ogen bij deze training.

Concentratie

Concentratie is bij uitstek kenmerkend voor de toestand van hypnotische trance. Het begrip concentratie kan men het best opvatten als gerichte, gebundelde psychische energie, naar analogie van het brandglas, dat alle stralen in één helverlicht punt samenbundelt. In de innerlijke stilte krijgt elk woord en elk beeld een extra lading. Al onze aandacht kan uitgaan naar die paar woorden en beelden die in de stille vijver van de geest plonzen. Alle 'ruis', zo kenmerkend voor het normale bewustzijn, is verdwenen. Met volledige, ongestoorde aandacht kunnen wij ons richten op de doelstellingen, voornemens, plannen en wensen die wij tot onderwerp maken van de trance. In de door ons voorgestelde vorm van hypnose geeft ontspanning de aangename ervaring van identiteit, en mobiliseert concentratie de kracht van maximale psychische energie. Natuurlijk, het zijn allemaal maar woorden en beelden die vorm krijgen in de trance. Wij weten het, het is allemaal maar verbeelding.

Doelstellingen

In dit bestek is het niet mogelijk, en ook niet noodzakelijk, langdurig stil te staan bij de haalbaarheid of onhaalbaarheid van zekere doelen. Wij volstaan met twee opmerkingen ter verduidelijking. Ten eerste is het van fundamenteel belang te beseffen dat mensen met behulp van hypnose niet in staat zijn tot prestaties waarvoor zij de capaciteiten niet hebben. Wie niet kan piano spelen brengt er ook tijdens en na de hypnose niets van terecht.

Ten tweede blijkt hypnose steeds vaker een nuttige techniek te zijn ter ondersteuning van psychotherapie en mentale training, bijvoorbeeld ten dienste van sportprestaties. Men komt weliswaar niet verder dan de stok lang is, maar het is al heel wat *als* men zover weet te komen. Sterker nog, dat is precies de bedoeling.

Voor welke plannen en doelen u hypnose kunt gebruiken, wij zouden het u niet durven voorschrijven. U bent zelf mans genoeg om uw keuzen te maken, het is uw creativiteit. Al zou u hypnose alleen gebruiken voor een goed humeur, daar is niets op tegen. Hoe dwaas de metafoor misschien ook is, u zult er altijd van leren dat u baas kunt zijn in eigen hoofd.

De oefeningen in hypnose

Voor de oefeningen in hypnose gelden dezelfde regels als voor de ontspanningsoefening. Op bed dus, met de kleren los en de schoenen uit, het gordijn gesloten, en de ogen gesloten.
Zelfhypnose is te verkiezen boven hypnose met behulp van een bandje, zoals dat met ontspanning het geval is. Er is echter één verschil: hypnose is een mentale techniek die u niet in uw dagelijks leven hoeft te integreren. Om die reden is het niet noodzakelijk zonder bandje te leren oefenen.
De eerste oefening op kant 2 van het bandje heeft een gesloten einde. Tijdens de oefening wordt u uitgenodigd zich te concentreren op een aantal lichamelijke gewaarwordingen, zoals het lichter worden van de linkerarm, het zwaar worden van beide armen, het warm worden van de armen, en het warm en zwaar worden van uw hele lichaam. Lukt het u tot die gewaarwordingen te komen, dan bent u op de goede weg. Hoe korter de tijd tussen suggestie en gewaarwording, hoe beter de hypnose verloopt.
De tweede oefening, oefening 2 van kant 2, heeft een open einde. Tegen het eind van de oefening wordt u dus alleen gelaten om de bereikte trance in te vullen met een training naar eigen keuze. Die invulling is een indivi-

duele zaak, wij kunnen er alleen in algemene termen over spreken. Wij zouden alleen willen zeggen, gebruik de trance voor serieuze doeleinden. Maak het niet te dol, anders zou u zichzelf wel eens tegen kunnen komen. Maar voor het overige, ga uw gang. Op het bandje wordt terloops uitgelegd hoe u zelf, wanneer u meent klaar te zijn, de oefening kunt beëindigen. Dat gebeurt op de inmiddels vertrouwde manier met: 'Eén, strek je benen, twee, bal je vuisten, drie, haal heel diep adem... en nog eens... en nog eens (die twee keer zijn extra), vier, open je ogen en ga rechtop zitten.' U zult zich na afloop uitgerust voelen als na een verkwikkende slaap. Fit, helder en opgewekt zijn de meest gebruikte termen om het na-effect van hypnose te beschrijven.

24. Proeftuintjes

Een mens moet ergens beginnen. Laten we zeggen dat wij u een klein zetje willen geven om op de rails te komen. Dáár is de 'power', dáár de rem, en over het traject bent u al uitvoerig ingelicht.

Zelf testsituaties verzinnen. Niet te moeilijk beginnen. U moet nog op gang komen. Uw eigen fantasie is daar het meest voor geschikt, omdat hij bij u past. In deze fase is het voornaamste doel dat u de eerste ervaringen opdoet; dat u een gedragssituatie nauwkeurig kunt ontwerpen, accepteren en uitvoeren; dat u stap voor stap de baas kunt worden in uw eigen hoofd.

Ter verduidelijking en als gangmakertje nog een enkele opmerking en wat suggestieve voorbeelden. Het moet een ietwat ongebruikelijk voornemen zijn, iets dat u gewoonlijk niet snel zou doen. Dat kan iets heel eenvoudigs zijn. Afwassen met plezier bijvoorbeeld, gesteld dat u dat gewoonlijk met tegenzin doet. Daarbij gaat u als volgt te werk.

Zorg dat u een diepe ontspanning dan wel

trance bereikt (met een open einde). Vervolgens stelt u zich helder, levendig en precies voor hoe u zult gaan afwassen met plezier. U voelt het warme water al, het sop, de afwaskwast, de borden die door uw handen gaan, en het gevoel van plezier. Net als de hoogspringer neemt u de hele afwas door van begin tot eind. Vervolgens brengt u die voorstelling zo in praktijk. Het moge piepklein en onbenullig lijken, zo'n opdrachtje aan uzelf, het plezier onder het afwassen is dat niet en de gevolgen zullen u verbazen.
Maar als u direct uw tanden in wat stevigers wilt zetten, dan is dat ook mogelijk. Hier volgen enkele voorbeelden van cliënten en cursisten. Zij waren al vertrouwd met de techniek van mentale training.

Een cursist vertelde, dat hij op vergaderingen nooit als eerste het woord durfde nemen. Dat euvel hinderde hem al twintig jaar. Hij voerde de oefening uit, stelde zich voor hoe hij het woord zou nemen en wat hij zou zeggen, en bracht zijn voornemen in praktijk. Niemand viel iets bijzonders op, dacht hij.

Een cliënte met liftangst deed hetzelfde. Tijdens de imaginatie stelde zij zich voor hoe zij zonder aarzelen de lift zou betreden.

Daarbij concentreerde zij zich op het gevoel van rust dat zij wenste. Zij voerde de oefening uit en is nu van haar liftangst genezen.

Een cursist had nooit van de hoge durven duiken. Dat stak hem, hij hield veel van zwemmen. Hij bereidde zich net zo voor als de cliënte met liftangst, en met succes.

Een cliënt met angst voor honden stelde zich voor hoe hij 's avonds de deur zou uitgaan voor een wandeling naar de snackbar. Hij voerde zijn voornemen uit. Zijn angst voor honden is hij niet helemaal kwijt, maar wandelen doet hij zo vaak hij wil.

Een cursiste had problemen met telefoneren. Zij klapte dicht aan de telefoon, zij vond het een akelig, vervreemdend apparaat. Tijdens de imaginatie concentreerde zij zich op haar stemgebruik, en op 'zeggen wat je te zeggen hebt'. Zij voerde deze blauwdruk van het gewenste gedrag uit en raakte vertrouwd met de telefoon.

Een man met hoogtevrees klom op een ladder... enzovoort. Uzelf bepaalt hoe u deze oefening invult en uitvoert. Het mag iets zijn dat u nooit hebt gedurfd, iets waar uw omgeving van zal opkijken, iets dat u moeilijk vindt, iets dat u hindert aan uw gedrag, iets dat u graag anders zou zien bij uzelf, alles is goed, als het maar ietwat ongebruikelijk is en enige moed vraagt. Al bestelt u een pond kaas bij de bakker. Gebruik uw fantasie, maar maak het uzelf vooral in het begin niet te lastig. Het is veel belangrijker dat u slaagt in uw voornemen dan dat u direct naar het hoogste grijpt, met het risico van mislukking. Als u wilt, kunt u elke dag een andere imaginatie ten uitvoer brengen. U kunt zich ook op één zaak concentreren en daar stap voor stap verbetering in aanbrengen. Veel succes.

25. De ladder

Mentale training, voor welke onderneming dan ook, is te vergelijken met het beeld van iemand met hoogtevrees die een hoge ladder op wil.
De benodigde ingrediënten zijn het vermogen tot ontspanning en/of zelfhypnose, en fantasie.
Het eerste moet geleerd worden en dit vergt in termen van tijd en inspanning maar heel weinig investering. De voordelen zijn:
- ervaring met het vermogen tot ontspanning en inspanning, lichamelijk en mentaal;
- ervaring met het beheersen van aandacht, de mentale energie;
- ondersteuning van (en onderdeel van) discipline;
- motiverend; mentale energie wordt doelgericht ter beschikking gesteld van intenties (denkbeelden); denkbeelden die met veel energie worden bezet, worden waar als ze kunnen (zelfkennis, zelfvertrouwen); motivatie is de meer of minder sterke tendens tot georganiseerd (dus doelgericht) gedrag;

- het voert tot acceptatie, vooral ook van consequenties.

En fantasie? Dat bent u.

Hoe komt men de ladder op? Stap voor stap; sport voor sport; enfin, dat gaan wij niet uitvoerig beschrijven; te simpel voor woorden. Voor iemand met hoogtevrees is het echter een hele klus. Hij moet er niet aan denken, laat staan doen.
Wanneer onze glazenwasser in spe zijn ongemak niet accepteert, kan hij zich bewust gaan bezighouden met datgene wat hij wel *moet* accepteren. Mentale training kan daarbij ondersteunen.
Eerst de oefeningen ontspanning/zelfhypnose, tot een voldoende niveau is bereikt. Vervolgens het 'open einde' benutten voor voorstellingen, haalbaar en zo concreet mogelijk (ruiken, voelen, horen, zien, ademen), desnoods stap voor stap, sport voor sport, test voor test.
Dit laatste is buitengewoon belangrijk. Steeds testen, steeds een stapje hoger dan de vorige keer in dit geval, en misschien ooit begonnen met alleen maar rustig voor de ladder staan en naar boven kijken.

Wellicht hebt u geen hoogtevrees. Misschien hebt u helemaal geen vrees. Goed, u zou in bepaalde situaties wat meer zelfvertrouwen kunnen gebruiken. U ziet wel eens ergens tegenop. Het komt wel eens voor dat u twijfelt, kortom nog niet volledig accepteert waarmee u eigenlijk al lang bezig bent. Goed, u noemt het anders. De sporten van de ladder, tot en met de hoogste sport, heten bij u ook anders. U vervangt (substitutie) de sporten door uw eigen voorgenomen schreden. De beelden zijn anders; de structuur is identiek.

26. De pijn zit diep

U voelt de pijn van het gemis, maar u kunt deze pijn niet lokaliseren. Waar zit de pijn precies? Een veel voorkomende vraag bij pijn in de letterlijke zin. Pijn beschrijven kan al helemaal niet. Het begrijpen van andermans pijn is een vorm van meevoelen op grond van eigen pijnervaringen. Wij onderscheiden soorten pijn door te verwijzen naar de plaats, zoals bijvoorbeeld kiespijn, hoofdpijn, rugpijn, botpijn en spierpijn. Daarnaast hanteren wij een schaalverdeling: sluimerende pijn, een beetje pijn, zeurende, behoorlijke, erge, gierende en schreeuwende pijn; daar kun je getallen naastzetten. Daarmee zijn wij uitgepraat over onze lichamelijke ongemakken, pijnen en pijntjes, maar zie: ondanks deze beperking van louter plaatsen (lokaliseren) en getallen kunnen wij, als het moet (?), uren doorpraten over onze pijnbeleving; het onzegbare. Wij noemen dat al naar de situatie: ouwehoeren, zeuren, anamnese, aandacht vragen, somatiseren, verontschuldigen of communiceren.

De pijn van het gemis zit diep, zo diep misschien dat je er niet bij kunt. Oké, dat is ook een lokalisatie, maar je kunt er nauwelijks bij wijzen. Bovendien ga je al helemaal geen cijfers geven, dat is mensonterend, en zeker voor mensen met een al of niet verborgen rekenshock. En misschien zit het wel zo diep dat je het nauwelijks nog kunt voelen; misschien weet je het niet eens! Dan ben je gauw uitgepraat.
Zou dat misschien de reden zijn dat mensen in het algemeen zo moeizaam, zo behoedzaam, en soms zelfs helemaal niet op gang komen met communicatie over persoonlijke problemen? Deze veronderstelling is nogal gangbaar. In de psychologie, en vooral binnen de sector 'dieptepsychologie' (wat heet), hanteert men het begrip *afweer*. Sinds Freud, en alles wat daarna kwam, is weerstand (afweer) een van de kernbegrippen in de interpretatie van menselijk gedrag, althans wanneer de dieptepsycholoog aan het woord is. Voor verschillende psychologen uit diverse scholen is het begrip afweer meerduidig interpreteerbaar en wetenschappelijk discutabel. Voor alle andere mensen, als zij gewoon met elkaar praten, is het duidelijk genoeg; voor ons dus ook.
Natuurlijk is er ook weerstand vanuit de omgeving, soms zo hardnekkig en onvermijdelijk als overmacht dat het verwijt 'jul-

lie hebben makkelijk praten met je fantasietjes' terecht is. Dat gaat dan ook stressmanagement en wat dies meer zij te boven. Voor weerstand van binnenuit kan grofweg hetzelfde gezegd worden. Niet iedereen is te helpen; er zijn helaas problemen die niet oplosbaar zijn, of slechts ten dele oplosbaar, en dan nog met een buitengewone, intensieve benadering. En voor alle duidelijkheid: het gaat hier, in dit boek, om mentale training, niet om psychotherapie. De verantwoordelijkheid, keuze en besluit, ligt nog steeds bij u. Dat is trouwens doorgaans ook bij psychotherapie het geval.

27. Film

De Hongaarse schrijver György Konrád is aan het woord en hij zegt: 'Als je iemand vraagt naar de zin van het leven, antwoordt hij met zijn levensgeschiedenis.' Als u moeilijk op gang komt met uzelf, dan zou u daaraan eens moeten denken, bijvoorbeeld als het gaat om inventarisatie en evaluatie, om uw levensverhaal. Begin gerust; ga eens nadenken over de zin van het leven; vertel uzelf het verhaal. Als Konrád gelijk heeft, en hij heeft te veel kwaliteit om het niet te hebben, dan komt u op uw levensverhaal, en dat zal pijn doen. Misschien komt u nog wel tot overeenstemming (met uzelf) over de zin van het leven of van uw leven. Zo is een van ons beiden (een van beide auteurs dus) tot de conclusie gekomen dat de zin van het leven is dat wij elkaar bezighouden, desnoods met oorlog. De andere (auteur) vindt ook dit zinloos. Gelijk hebben is een kwestie van identiteit, gelijk krijgen een kwestie van niveau.

En de mentale training? U zou zich eens krachtig kunnen voornemen met iets dergelijks aan te vangen, tijdens het laatste deel van een ontspanningsoefening of een zelfhypnose. Dan wel met een aantal concrete afspraken en een zo realistisch mogelijke verbeelding – tastbaar, zichtbaar, hoorbaar, ruikbaar en voelbaar. Bijvoorbeeld ik begin morgen, heerlijk lui liggend aan het warme zonnige strand, of in het bad, om twee uur. Neem de tijd ervoor, de gelegenheid, uw gemak; u zult het nodig hebben.

Eigenlijk is zelfmanagement met behulp van mentale training te beschouwen als een elementaire theateropleiding: scenario schrijven, regisseren en acteren; maar dan wel zo elementair dat u het eigenlijk meteen wel begrijpt en kunt. Logisch, want in feite hebt u nooit anders gedaan.
De mentale training zet u aan het werk met meer discipline. De mentale training ondersteunt dat u zelf de pen ter hand neemt en uw verhaal schrijft (bedenkt), dat u de scènes bedenkt, steeds gedetailleerder, en dat u repeteert (oefent) op de rol die u moet spelen (proeftuintjes); een rol die u aankunt, want een goede regisseur kiest zijn hoofdrolspelers met grote zorg (dat is uw zelfkennis). Ten slotte draagt mentale training bij tot acceptatie. U accepteert de rol en u wilt hem met overtuiging spelen. U bent bereid energie erin te stoppen, bereid te betalen.

En acteren? Ach, dat is wat het is: optreden, handelen, gedragen.
Het gaat om de grote lijnen van het verhaal, de doelstellingen, de mogelijkheden, noodzaak en interpretatie, en het gaat om de kleine gebaren, houding, uitdrukking, ja zelfs kleding, after-shave, parfum en make up.
Laten wij nog eens een voorbeeld nemen, en nu iets moeilijks, vervelend en vrij ernstig.

28. Voorbeeld: hyperventilatie

Hyperventilatie. Wij beperken ons tot het symptoom en gaan niet in op mogelijke achtergronden of oorzaken; dat kan trouwens van alles zijn, en lang niet altijd zo dramatisch, zeker niet noodzakelijk en allerminst onvermijdelijk. Met andere woorden, u kunt ervan afkomen; dan bent u één probleem kwijt en de rest is een ander verhaal.

Tijdens mentale training tracht u zich zo concreet mogelijk voor te stellen hoe u in het verleden, bijvoorbeeld de laatste keer, werd overvallen door hyperventilatie. Hoe was de situatie precies (waar, wanneer)? Wat deed u; wat wilde u gaan doen; wat dacht u, en vooral: hoe voelde u zich? U wordt immers telkens overvallen, verrast, maar is dat wel zo?
Natuurlijk is dat niet zo. Men raakt niet in paniek, of zelfs volledig buiten westen, van het ene moment op het andere (pats, boem), zelfs niet als het 'snel' gaat. Vóórvoelen (leren luisteren naar lichaam en geest) op zich vormt al een belangrijke bijdrage tot het

aanscherpen van het waarnemingsvermogen (voelvermogen) als zodanig. Overigens: de populaire ademproef met een plastic zakje over het hoofd is o.a. bedoeld als oefening, met andere woorden poogt juist enige nuttige ervaringen te realiseren. Deze zgn. proef heeft ook meer zin naarmate zij meer als 'oefening' in de hier bedoelde zin wordt begeleid.

Hoe grondiger en uitgebreider u in staat bent te herbeleven wat u bij de laatste aanval van hyperventilatie hebt ervaren, hoe beter u bij een volgende gelegenheid in staat bent tijdig te onderkennen dat het mis dreigt te gaan. (U mag hyperventilatie gerust als een – merkwaardige – gewoonte opvatten.) Het kan voorkomen dat men hierbij zo rigoureus te werk gaat dat men bepaald onaangename sensaties begint te bespeuren. Zo veel te beter, want het is juist de bedoeling dat men zo goed mogelijk probeert iets van die sensaties op te wekken, als het ware tijdens de ontspanning, of zelfhypnose, te ervaren. In dat geval balt men de linkerhand tot een vuist, men knijpt zo hard men kan, concentreren op het gevoel in de hand, en daarna weer de ontspanning in die hand volledig terug laten komen, en nog steeds de aandacht daarop gericht houden (concentratie volhouden). Vervolgens doorgaan met bewust ontspannen van het hele lichaam, en hierbij aan-

dacht schenken aan een zeer rustige gecontroleerde ademhaling, tot men zich weer acceptabel voelt, goed genoeg om door te gaan.
Vervolgens gaat men zich voorstellen, alweer zo realistisch en gedetailleerd mogelijk, hoe de eerstvolgende aanval zou kunnen zijn. Het is uiteraard de bedoeling dat men zich hierbij voorstelt, de eerstvolgende keer, in werkelijkheid, net zo te werk te gaan. (Tijdig signaleren, linkerhand gebruiken, concentreren, controle van de ademhaling en bewust zo veel mogelijk lichamelijk ontspannen.)
Alvorens men de oefening beëindigt, herhaalt men deze procedure een aantal malen (bijv. vijf keer). Deze oefening doet men dagelijks; desnoods - vooral in het begin - vaker dan eens per dag.
Men kan aan deze oefening nog een vervolg geven door te oefenen in een rustige zithouding, of zelfs staand, of lopend (rustig slenterend) thuis of op straat. En, hoe kan het anders, deze voortgezette oefeningen kan men eveneens voorbereiden met een voorstellingsoefening - zich nu thuis in ontspanning voorstellen dat men het morgen op straat zus en zo zal aanpakken bij wijze van oefening. (Oefenen om verder te kunnen oefenen, een vertrouwde gang van zaken. Experimenteren, oefenen, testen, om uiteinde-

lijk in betere conditie aan de start te verschijnen.)

De enige voorwaarde bij het volgen van deze aanpak is dat men het ontspannen als zodanig op een redelijk niveau beheerst. De beste aanwijzing hiervoor is dat men in staat is iets van toenemende ontspanning gewaar te worden bij het gebruik van de linkerhand; in liggende houding, en vervolgens, nog beter, zittend, staand, lopend.
Het is heel goed mogelijk dat men bij de eerste de beste kritische gelegenheid onmiddellijk in staat is de hyperventilatie de baas te zijn. Daarna is heel aannemelijk (wij spreken uiteraard uit ervaring) dat een dergelijke kritische situatie zich niet meer voordoet. Geen wonder overigens, want zoals angst voor de angst de angst versterkt, zal angst voor hyperventilatie de kans op hyperventilatie vergroten. Wanneer men één keer ervaart dat men in staat is effectief iets te ondernemen, voelt men zich niet langer machteloos, en de angst zal sterk afnemen of zelfs geheel verdwijnen. Eén zorg minder. Minder stress.

29. Investeren en accepteren

Een belangrijk aspect van mentale training, dat zal men nu zo langzamerhand kunnen inzien, is de gepleegde investering, de aandacht die men aan de zaken besteedt en de energie die men erin stopt. Hierdoor wordt de noodzakelijke acceptatie keer op keer bekrachtigd. Deze acceptatie moet op den duur ook leiden tot rust en zelfvertrouwen in de anticipatieperiode. Telkens bereidt men zich voor op spannende momenten, op belangrijke gebeurtenissen. Deze voorbereiding kan op zich al stressvol genoeg zijn, want dikwijls betekent het domweg hard werken. Wanneer deze anticipatie ook nog eens gepaard gaat met toenemende angst en onzekerheid, naarmate het uur 'U' nadert, dan kan men verwachten dat men 'als het zo ver is' niet bepaald blaakt van zelfvertrouwen, en min of meer uitgebrand en vertwijfeld moet pogen de laatste beschadigde reserves in de strijd te werpen (de gevolgen van extreme anticipatie-arousal). Ook dit aspect kan men met behulp van mentale training ondersteunen. Een voorbeeld.

Men heeft de volgende week een zwaar, belangrijk examen. Men wil het, men kan het, en men is vastbesloten de huid zo duur mogelijk te verkopen 'als het zo ver is (!)'. Dit laatste, daarom gaat het.
Tijdens mentale training kan men zich nu voorstellen hoe men in een op zich neutrale situatie denkt aan de naderende dag des oordeels. Die neutrale situatie zou zo iets kunnen zijn als: rustig slenteren over straat, naar de bakker op de hoek om een stokbrood te kopen. Hierbij gaat het erom dat men ten volle beseft en accepteert dat het nu nog niet zo ver is. Nu heb ik niets anders te doen dan te zorgen voor een zo goed mogelijke voorbereiding, hetgeen al energie genoeg vergt, maar ik kan het in alle rust afwerken. Straks, over een week, is het zo ver, en dat wil ik ook. Dan is het moment aangebroken om te vechten, al mijn energie ter beschikking te stellen voor een zo goed mogelijk resultaat. Dan mag ik spanning voelen, en dat zal ik ook nodig hebben, want ik ga mijn uiterste best doen, alle energie gericht op het resultaat. Nu is het nog niet zo ver, in dit opzicht kan ik nu nog niets doen (compartimentaliseren, er is een tijd voor alles).
Terwijl men zich dit zo voorstelt (wandelend naar de bakker), dwingt men zichzelf rustig te blijven – 'eisen stellen aan jezelf'.

Indien men hierbij toch onaangename spanning bespeurt (nergens voor nodig – tijd genoeg), gebruikt men de linkerhand. En daarna uiteraard de test: de straat op.
Aldus kan men zich ook voorstellen dat men op de dag van het examen van huis gaat, ter plaatse arriveert, enzovoort. Nog steeds is het niet begonnen. Ik kán nog niets doen. (In)spanning is nu niet lonend, vergeefs.
Tijd (en plaats) voor alles. Slapen 's nachts in bed. Trainen, oefenen, voorbereiden, testen, op de club. Twee wedstrijden per week is genoeg; dan ga ik er tegenaan, dan is (in)spanning lonend. Leven als een echte prof, anders heb je geen leven.

Over de auteurs

Drs. **P.S. Blitz** (53) is psycholoog en directeur van het *Instituut voor Prestatiebevordering en Begeleiding* (IPB). Reeds twintig jaar legt hij zich toe op de mentale begeleiding en training van topsporters, podiumartiesten en representatieve functionarissen in het bedrijfsleven. Hij wordt beschouwd als de grondlegger van mentale begeleiding en training in Nederland.

Drs. **J. Huijbers** (40) is psycholoog en medewerker van het IPB. Zijn belangstelling voor geestelijke gezondheid verwerkte hij tot een psychologie voor gezonde mensen, waarmee hij een welkome uitbreiding gaf aan het vakgebied van mentale begeleiding en training.

Andere Blitz-trainingen

In deze serie zullen ook verschijnen of zijn reeds verschenen:

Het dure hachje
– *Blitz-training voor het overwinnen van vliegangst*

Op rolletjes
– *Blitz-training voor een succesvol rijexamen*

Met vlag en wimpel
– *Blitz-training voor het afleggen van schoolexamens*